『となえて おぼえる 漢字の本』
～ 使いかた ～

① 漢字ファミリーのシンボルマークです。下村式では、漢字をなりたちのテーマで12のグループに分けました。(258ページ「漢字ファミリー分類表」参照)

② 見出しの漢字です。本書では漢字を漢字ファミリーごとに、関係の深い順に配列してあります。

③ 部首・画数のほかに、「下村式 はやくりさくいん®」による、漢字の「型」と「書きはじめ」をしめしました。(253ページ参照)

④ 訓読みをひらがな、音読みをカタカナでしめしました。訓読みの細い字は送りがなです。( )は小学校で習わない読みかたです。

⑤ 漢字の意味と熟語例をしめしています。意味がいくつもある場合には❶❷…とし、意味ごとに熟語を分けてしめしました。

⑥ 読みや送りがなの注意です。
● 特別な読み…文化庁の定める「常用漢字表」の付表にのっている、特別な読みかたをすることばをしめしました。そのうち( )は小学校で習わないことばです。〈都道府県〉は都道府県名に使われる読みです。
● 読み方に注意…④にしめした読みかた以外で読むことばなどをしめしました。
● 送りがなに注意…使いかたによって送りがなに注意が必要なことばをしめしました。

⑦ 漢字が絵から、どのようにしてきたのかをしめしました。漢字のおおもとの意味や組みたてを、下村式独自の新しいくふうと解釈でわかりやすく説明しています。

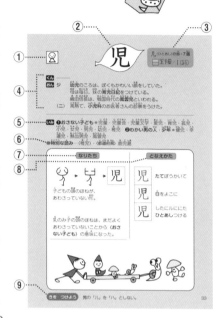

⑧ 漢字の書き順の流れを、下村式の「口唱法®」で、絵かきうたのようにとなえながらおぼえられます。(234ページ「となえかたのやくそく」・266ページ参照)

⑨ この漢字を書くときの注意や、この漢字を使ったことばのクイズなどをのせました。小学校で習わない漢字がでてくることもあります。クイズの答えは、256ページにあります。

おうちの方へ●『となえて おぼえる 漢字の本』についてのくわしい説明は266ページを見てください。この本にもとづく『となえて かく 漢字練習ノート』で書きとりをして、読み書きの問題を解くと、さらに学習が深まります。

となえて おぼえる 下村式
漢字の本

改訂4版

小学4年生

下村 昇=著　まつい のりこ=絵

「おやおや、
　なんの木かしら？
　　そだててみよう。」

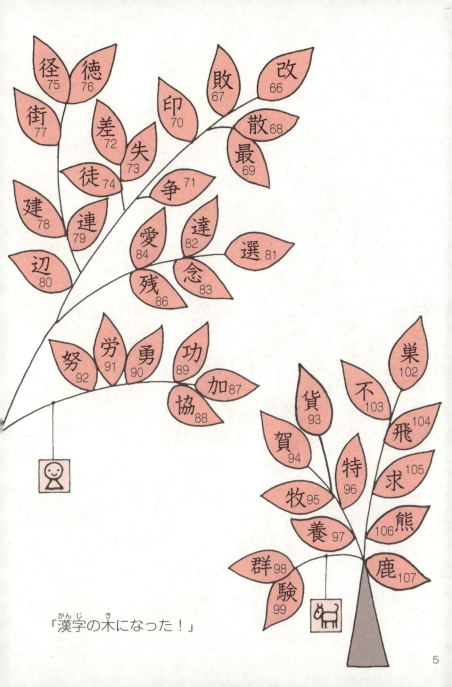

風がふいて
木の葉がとんでいく。
「まてえ——！」

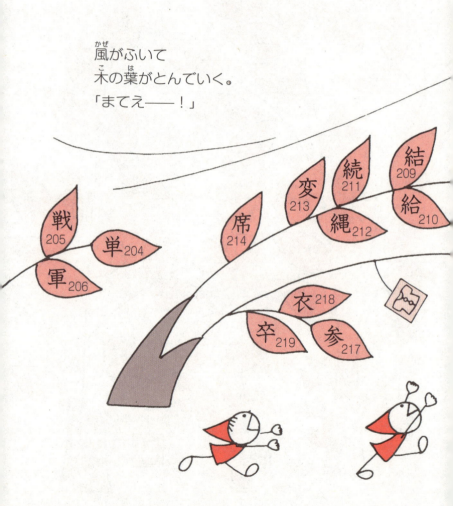

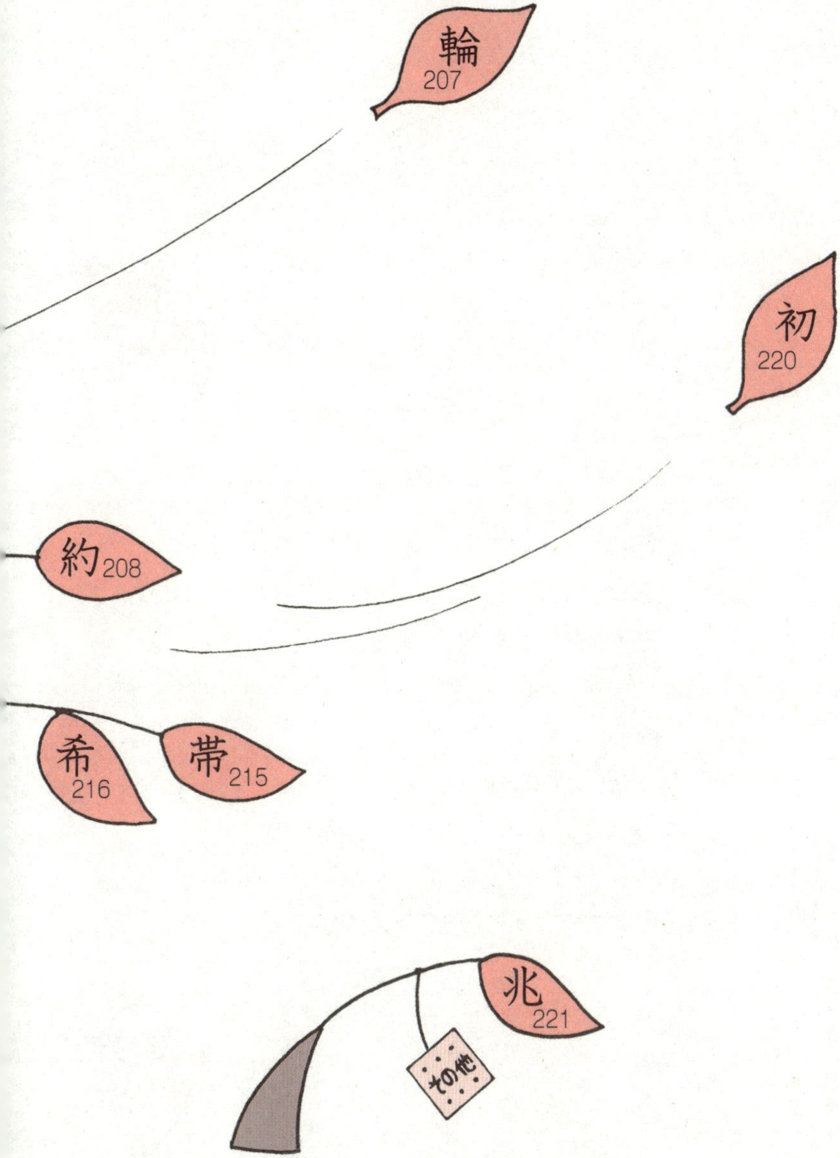

輪 207
初 220
約 208
希 216
帯 215
兆 221
その他

こびとが、木の葉を
おいかけていくと……
あれあれ、あれはなんだろう。
「漢字はね、
絵からできたんだよ。
どの漢字にも、
　なりたち　のところがあるから
よくみてごらん。」
と、かたつむりがいいました。

🖐 → 手 → 手・扌	人の手の形
→ ヌ → 又・ナ	右手を横からみた形
→ ナ → ナ	左手を横からみた形
→ 𦥑 → 六	両手でもつ形
→ 爪 → 臼・爫	指先の形

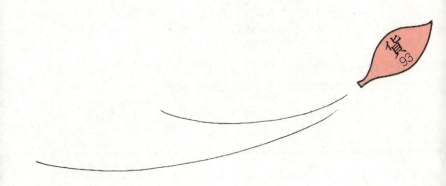

「 と和えかた 」はね、漢字を
口でとなえながら書けるように
してあるんだよ。」
と、かたつむりが
おしえてくれました。

さあ、木の葉を
おいかけていきましょう。

大(だい)の部・4画
その他型／一(よこぼう)

- **くん** おっと　結婚したら、夫には家事を手伝ってもらいたい。
- **おん** フ　　絵にえがかれた、ひやけした農夫の顔が美しい。
　　　　　　　キュリー夫人は、科学に一生をささげた。
　　（フウ）　うちの両親は、夫婦でおそろいのセーターを着ている。

いみ ❶一人前の男の人・仕事をする男の人●漁夫・車夫・人夫・農夫・凡夫　❷おっと●夫婦・夫君・夫妻・夫人

なりたち

かんざしをつけた人の形。

おとなになったしるしとして、かんざしをつけた男の形で〈一人前の男・おっと〉の意味をあらわした。

となえかた

よこぼう2本で
人をかく

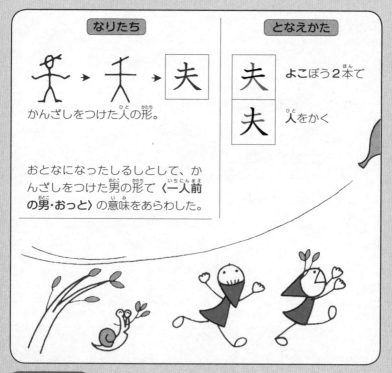

きを つけよう　夫と似ている字…天・矢・失

西(にし)の部・9画
上下型／一(よこぼう)

くん かなめ　ここが肝心要のところなので、色をていねいにぬろう。
（いる）　家族そろっての海外旅行には、たくさんのお金が要る。
おん ヨウ　捕手は、野球で重要なやくめをはたす。
　　　　料理の塩分をへらすには、味つけを工夫する必要がある。

いみ ❶ものごとのだいじなところ● 要因・要件・要旨・要所・要職・要素・要点・要約・要領・要路・重要・主要・所要・大要　❷もとめる・のぞむ● 要求・要請・要望・強要・必要・不要

なりたち

両手で、こしをおさえている形。

こしは、からだの中でだいじなところだ、ということから〈ものごとのだいじなところ〉という意味をあらわす。

となえかた

要	よこ
要	たて　かぎて
要	たて2本
要	そこをとじたら
要	女をしたに

つかいわけ　保証人が要る。気に入る。

人(ひと)の部・5画
上下型／ノ(ななめぼう)

くん ――
おん レイ
万が一のときには、船長の**命令**をきけば、まちがいない。
体育の授業では、体育係が集合の**号令**をかける。
気象庁から、大雨洪水警報が**発令**された。
先生の**令嬢**に、はじめてお目にかかった。

いみ
❶いいつける・さしず ● 令状・訓令・号令・省令・司令・指令・辞令・伝令・発令・命令
❷おきて・きまり ● 禁令・条令・政令・法令
❸よい・りっぱな ● 令嬢・令息・令夫人・令名

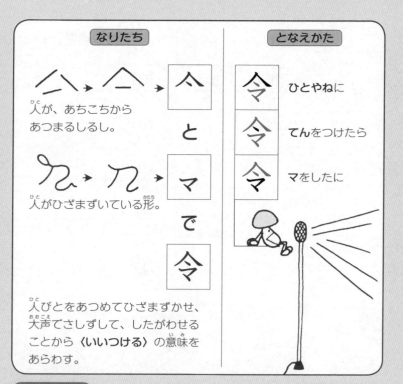

なりたち

人が、あちこちから あつまるしるし。

人がひざまずいている形。

と マ で 令

人びとをあつめてひざまずかせ、大声でさしずして、したがわせることから〈いいつける〉の意味をあらわす。

となえかた

ひとやねに

てんをつけたら

マをしたに

きを つけよう 令と似ている字…今

人(ひと)の部・6画
左右型／ノ(ななめぼう)

- **くん** なか
  - 同じ目標をもつ**仲間**として、はげましあう。
  - 兄弟げんかのあと、三日たって**仲直り**した。
- **おん** (チュウ)
  - けんかの**仲裁**をするときは、まず両方の話をきく。
  - ものの値段は、**仲介**する業者が少ないほど下がる。

いみ 人と人のあいだ・まんなか ●仲買人・仲仕・仲たがい・仲立ち・仲直り・仲間・不仲・仲介・仲兄・仲裁・仲秋・仲春・仲人
●**特別な読み**…〈仲人〉

なりたち

人のよこむきの形。

こまのまんなかをしんぼうがとおっている形。

「人」と「中」をあわせて〈人と人のあいだ〉のことだったが、〈まんなか〉の意味もあらわすようになった。

となえかた

仲 イをかいて（にんべんに）

仲 ひらたい口をかき

仲 たてぼうおろす

つかいわけ あの二人は**仲**がいい。校舎の**中**に入る。

人(ひと)の部・7画
左右型／ノ(ななめぼう)

くん くらい　統計の数値は、十の**位**で四捨五入している。
　　　　　　位取りをまちがえて、テストは０点だった。
おん イ　　季節による、オリオン座の**位置**の変化を調べる。
　　　　　　王様は、ついにその**地位**を、王子にゆずる。
　　　　　　グラムもポンドも、重さをあらわす**単位**です。

いみ ❶ばしょ・ところ●位置・方位　❷身分・ていど・くらい●王位・学位・官位・高位・地位・名人位・優位　❸じゅんばん●首位・順位・上位　❹数のもと●位取り・単位

●読み方に注意…「三位一体」「従三位」などのときは、「位」は「み」と読む。

なりたち

人のよこむきの形。

人が前をむいて地上に立っている形。

むかしは、人がならぶとき、身分によって立つ場所がきまっていたことから〈ばしょ・くらい・じゅんばん〉の意味をあらわした。

となえかた

位	にんべんに（イをかいて）
位	てん 一
位	ソをかき
位	一つける

クイズ　三位一□　□に入る漢字は？　①態　②対　③体

人(ひと)の部・6画
左右型／ノ(ななめぼう)

くん つたわる　電気が**伝わる**速度は、光の速さと同じだといわれる。
　　　つたえる　学校を休んだ小林くんに、先生からのことづけを**伝える**。
　　　つたう　　思わず、大つぶのなみだが、ほおを**伝う**。
おん デン　　　六月の田植えは、六十年の**伝統**をうけつぐ、学校の行事だ。

いみ ❶つたえる・つたわる● 伝言・伝授・伝承・伝説・伝染・伝送・伝達・伝統・伝道・伝導・伝聞・伝来・遺伝・外伝・家伝・口伝・誤伝・直伝・宣伝・伝馬船　❷人の一生の記録● 伝記・英雄伝・小伝
●**特別な読み**…手伝う・(伝馬船)

なりたち

人のよこむきの形。

と

駅のたてものの形。

で

むかしは、人が手紙をもって、駅から駅へはこんだことから〈つたえる〉という意味をあらわす。

となえかた

にんべんに
(イをかいて)

かなのニと

ムをつける

きを つけよう　伝の2本の横棒は、下を長く書く。

人(ひと)の部・7画
左右型／ノ(ななめぼう)

くん ひくい　同じ広さの部屋でも、天井が低いと、せまく感じる。
ひくめる　暑いので、クーラーの温度を低める。
ひくまる　大雨のあとは、校庭の低まった一角に水がたまる。
おん テイ　文化発表会の合唱で、低音部をうたう。
このあたりは、えんえんと低地のつづく地形だ。

いみ 高さやていどが、ひくい・すくない・下である ● 低圧・低音・低温・低下・低学年・低気圧・低級・低空・低姿勢・低俗・低地・低調・低利・高低・最低

なりたち

人のよこむきの形。 → イ

たおれかかったものをささえている形で、ささえること。 → 氐

で

低

もとは、えらい人をささえる人のことで、身分のひくい人のことだったが、今は〈高さやていどがひくい・下である〉の意味につかわれる。

となえかた

低　にんべんに（イをかいて）
低　ノにたてはねて
低　よこあげて
低　ななめぼうはね
低　そこ一をかく

さんこう　低の反対の意味の字…高

人(ひと)の部・5画
左右型／ノ(ななめぼう)

くん つける　家の屋根に、新しいアンテナを付ける。
　　　 つく　　雪がつもった校庭に、点点と足あとが付く。
おん フ　　　兄は、大学の付属高校に入学した。
　　　　　　　学校や病院の付近では、車の速度をおとす。

いみ ❶**つける・つけたす**●付き合い・付き添い・味付け・付加・付記・付言・付設・付則・付属・付着・付録　❷**わたす・さずける・あたえる**●付与・下付・寄付・給付・交付・送付・納付・配付　❸**あたり**●付近

●**送りがなに注意**…「日付」「気付」は、「日付け」「気付け」とは書かない。
　　　　　　　　　「受け付け」は、場所や係の意味のときは「受付」と書く。

なりたち

人のよこむきの形。

手首の形に「−」印をつけたもので、くっつけること。

イ と 寸 で 付

人にものをくっつける、つまりわたすことから〈**つけたす・さずける・あたえる**〉の意味をあらわす。

となえかた

付	にんべんに（イをかいて）
付	よこ
付	たてはねて
付	てんつける

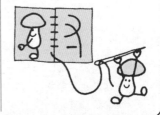

つかいわけ　服にペンキが**付**く。五時に家に**着**く。新しい職に**就**く。

人(ひと)の部・9画
左右型／ノ(ななめぼう)

くん ——
おん シン　ぼくは宇宙人の存在を**信**じる。
　　　　青信号になったのをたしかめて、道をわたる。
　　　　漢字の書き取りには**自信**がある。
　　　　強い**信念**をもつことが大切だ。

いみ　❶まこと・いつわりのないこと●**信**義・忠**信**　❷うたがわない●**信**教・**信**仰・**信**者・**信**条・**信**心・**信**徒・**信**望・**信**念・**信**望・**信**用・**信**頼・確**信**・過**信**・自**信**・迷**信**　❸しるし・あいず・たより●**信**号・**信**書・私**信**・受**信**・通**信**・発**信**

なりたち	となえかた
 人のよこむきの形。	にんべんに（イをかいて）いう（げん）
 針は、心とおなじ音で心のこと。それと口で思うことをいうこと。	84ページに行ってごらん

人のいうことには、うそいつわりがあってはならない、ということから〈まこと・うたがわない〉の意味をあらわす。

クイズ　□**信**□**疑**　□に入る同じ漢字は？

人(ひと)の部・11画
左右型／ノ(ななめぼう)

くん がわ　重箱の**内側**は赤い。
　　　　川の**向こう側**に、ぼくの家がみえる。
おん ソク　大統領が**側近**の人びとをつれて、ホテルからでてきた。
　　　　あの子はわんぱくだけど、とてもやさしい**側面**をもつ。

いみ ❶もののそば・よこ ● 縁側・側壁・側近・体側　❷もののいっぽう
　● 内側・裏側・片側・外側・反対側・左側・右側・向こう側・両側・側面
● **読み方に注意**…「がわ」は、「かわ」とも読む。

なりたち

人のよこむきの形。

貝と刀の形で、貝（お金や財産）をふたつに分けること。

イ と 則 で 側

お金や財産を分けて人のそばにおくことから〈もののそば・よこ〉の意味をあらわす。

となえかた

 にんべんで（イをかいて）

 目に

 ハをつけて

側 たてぼう2本でおわりをはねる

きを　つけよう　側の「貝」を「見」としない。

人(ひと)の部・8画
左右型／ノ(ななめぼう)

くん たとえる
- 人生を旅に**例える**名言は、たくさんある。
- 祖父はすぐ、女性を花に**例える**。
- 話をわかりやすくするために、**例え**をつかう。

おん レイ
- ことしの冬は、**例年**にくらべて寒い。
- 先生は**例**の調子で、笑顔で教室に入ってきた。

いみ ❶きまっている・しきたり● 例会・例外・例年・慣例・条例・先例・前例・通例・定例・特例・凡例・用例 ❷たとえ・見本● 例解・例示・例題・例文・例話・一例・引例・具体例・実例

なりたち

人のよこむきの形。

刀でほねをばらばらにして、ならべている形で、ならべること。

イ と 列 で 例

人が順序よくならぶことは、同じなかまのものがならぶことなので、〈きまっている・しきたり・たとえ〉などの意味になった。

となえかた

例	にんべんに（イをかいて）
例	よこ一
例	夕をかき
例	たてぼう2本でおわりをはねる

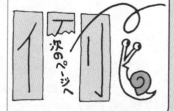

きを つけよう 例の4画目は上につき出さない。

人(ひと)の部・10画
左右型／ノ(ななめぼう)

くん かりる
- 兄さんの力を**借り**て、宿題をした。
- いとこにパーティー用の洋服を**借りる**。
- まんが本を貸したり**借り**たりするほど、仲がよい。

おん シャク
- 友だちから、えんぴつを**借用**したまま忘れていた。
- ぼくたち一家は、三日前まで**借家**に住んでいた。

いみ かりる・かりたもの●借り手・借り主・借り物・前借り・借地・借家・借用・借金・寸借・貸借・賃借・拝借

なりたち

人のよこむきの形。 → イ

日がつみかさなった形で、つみかさなること。 → 昔

イ と 昔 で 借

人がつみかさなるというのは、人の力をかさねることなので、〈かりる〉の意味をあらわした。

となえかた

借 にんべんに（イをかいて）
借 よこ
借 たて　たて
借 よこ
借 日をしたに

前のページから借りたよ

さんこう　借の反対の意味の字…貸

人（ひと）の部・9画
左右型／ノ（ななめぼう）

くん たより　便りのないのはよい便り。
　　　　　　桜の開花は、春の便りだ。
おん ベン　　料理をするのに、皮むき器があると、とても便利だ。
　　　　　　駅の利用客の便宜をはかるため、バリアフリー化を進める。
　　　 ビン　　春にひっこす新しい家は、郵便局がすぐ近くだ。
　　　　　　商店街の文具店で、便箋を買う。

いみ ❶つごうがよい・やりやすい●便宜・便法・便利・軽便　❷ついで・たより●便乗・便船・便箋・郵便　❸べん●便所・便通・便秘・小便・大便

なりたち

人のよこむきの形。

と

かまどの火を、火かきぼうでかきまわす形で、火をおこすこと。

で

便

消えそうになったかまどの火をおこすように、人をはげまし、仕事をさせることから〈つごうがよい・やりやすい〉の意味をあらわす。

となえかた

便	にんべんに（イをかいて）
便	よこ一
便	日をかき
便	左右にはらう

あなたへの
おたよりです

アナタが
ダーイスキ

きを　つけよう　便と似ている字…使

 人(ひと)の部・10画
左右型／ノ(ななめぼう)

くん (そうろう) 江戸時代の公文書は、**候文**で書かれたものが多い。
おん コウ 祖母が、市議会議員の選挙に**立候補**する。
このところの**天候不順**で、野菜の値が上がる。

いみ ❶ようすをうかがう ●斥候 ❷まちうける ●候補・立候補 ❸きざし・しるし・ようす ●気候・兆候・天候 ❹とき・じせつ ●候鳥・時候 ❺そうろう（むかしの手紙文などで「ある」「いる」のていねい語）●候文

きを つけよう 候の「矢」を「失」としない。

人(ひと)の部・11画
左右型／ノ(ななめぼう)

くん (すこやか)　子どもの健やかな成長を見守る。
　　　　　　　　　祖父母とも健やかに暮らしている。
おん ケン　　　　健康のために、早寝早起きをする。
　　　　　　　　　日本代表選手の健闘をたたえる。
　　　　　　　　　ベテラン選手は、まだまだ健在だ。

いみ ❶すこやか・じょうぶ● 健康・健在・健勝・健全・穏健・壮健・保健
　　　　❷つよい・ふつう以上である● 健脚・健児・健闘・強健・剛健

なりたち

人のよこむきの形。

→ イ と

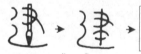

すらすらと字を書いている形。

→ 建 で 健

字をすらすらと書くように、人が心配なくそだつことから〈すこやか・つよい〉という意味をあらわした。

となえかた

健	にんべんに(イをかいて)
健	ヨのなかながく
健	よこ2本
健	たてぼうかいたら
健	フをつづけて右ばらい

つかいわけ　保健体育。生命保険。

人(ひと)の部・15画
左右型／ノ(ななめぼう)

くん ―
おん オク

六十億キロかなたの宇宙まで、惑星探査機はとぶ。
地球上には、七十億人以上の人類が住んでいる。
今年の初夢は、わたしが億万長者になる夢だった。

いみ ❶数がひじょうに多いこと ●億兆・億万 ❷数の単位・万の一万倍 ●一億・十億

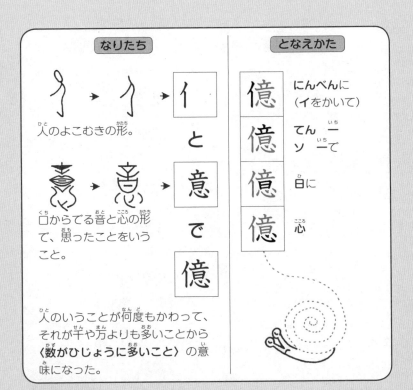

なりたち

人のよこむきの形。

口からでる音と心の形で、思ったことをいうこと。

イと意で億

人のいうことが何度もかわって、それが千や万よりも多いことから〈数がひじょうに多いこと〉の意味になった。

となえかた

億 にんべんに(イをかいて)
億 てん 一 ソ 一 で
億 日に
億 心

きを つけよう 億の「意」を「竟」としない。

人(ひと)の部・13画
左右型／ノ(ななめぼう)

くん はたらく
　きょうは家の大そうじで、一日中働く。
　目の働きは、物をみることだ。
　朝ごはんをしっかり食べると、頭がよく働く。

おん ドウ
　空腹でのむりな労働は、からだのためによくない。

いみ はたらく・はたらき・しごと● 働き盛り・働き手・働き者・下働き・稼働・実働・労働

なりたち

人のよこむきの形。

重いにもつと力こぶの形で、力をくわえてうごかすこと。

イ と 動 で 働

人が力をくわえてものをうごかすということで〈はたらく〉の意味をあらわす。

となえかた

にんべんに（イをかいて）

ノ 一

日をかき

たて　よこ2本

右におおきく力をつける

さんこう　働は「国字」といって、日本でつくられた漢字。

人(ひと)の部・7画
左右型／ノ(ななめぼう)

くん ──

おん サ　わたしはイラストクラブの副部長で、部長の**補佐**が役目だ。
海佐は、海上自衛官の階級のひとつだ。
有田焼の皿やつぼは、**佐賀県**の特産品だ。

いみ ❶たすける● 佐幕・補佐　❷軍隊や自衛隊で階級をしめすことば● 海佐・空佐・大佐・陸佐

なりたち

人のよこむきの形。

左手とものさしの形。

イ と 左 で 佐

左手は右手を補助することから、手と人とで〈たすける〉の意味をあらわした。

となえかた

佐　にんべんに
佐　よこ一
　　ノをかき
佐　エをつける

きを つけよう　佐の「左」を「右」としない。

人(ひと)の部・5画
□その他型／1(たてぼう)

くん ——
おん イ

テストでは、えんぴつ**以外**のものは使わないようにといわれた。
わたしたち一家は**以前**、関西に住んでいた。
けがをして**以来**、木のぼりがこわくなってしまった。

いみ ❶〜で・〜をもちいて ● 以心伝心　❷〜から・〜より ● 以遠・以下・以外・以後・以降・以上・以西・以前・以東・以内・以南・以北・以来

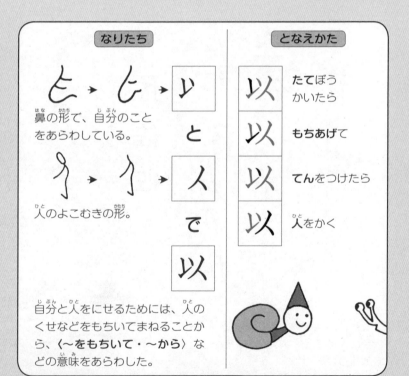

なりたち

鼻の形で、自分のことをあらわしている。

人のよこむきの形。

と
で
以

自分と人をにせるためには、人のくせなどをもちいてまねることから、〈〜をもちいて・〜から〉などの意味をあらわした。

となえかた

以　たてぼう　かいたら

以　もちあげて

以　てんをつけたら

以　人をかく

クイズ　以□伝□　□に入る同じ漢字は？

儿（ひとあし）の部・7画
上下型／1（たてぼう）

くん ——
おん ジ

幼児のころは、ぼくもかわいい顔をしていた。
母は毎日、妹の育児日記をつけている。
織田信長は、戦国時代の風雲児といわれる。
（二）高熱で、小児科のお医者さんの診察をうけた。

いみ ❶おさない子ども●児童・児童会・児童文学・愛児・育児・孤児・小児・女児・男児・幼児・稚児　❷わかい男の人・少年●健児・幸運児・熱血男児・風雲児
●特別な読み…〈稚児〉・〈都道府県〉鹿児島

なりたち

子どもの頭のほねが、あわさっていない形。

乳のみ子の頭のほねは、まだよくあわさっていないことから〈おさない子ども〉の意味になった。

となえかた

児　たてぼうかいて

児　日をよこに

児　したにルににた**ひとあしつける**

きを　つけよう　児の「ル」を「ハ」としない。

ク(つつみがまえ)の部・5画
□ その他型／ノ(ななめぼう)

くん つつむ　重箱をふろしきで**包む**方法には、四つ目結びがある。
いつのまにか、夕やみがあたりを**包む**。
学校てのできごとを、父に**包み**かくさず報告する。

おん ホウ　きずの部分には、ガーゼを当ててから**包帯**をまく。
犯人が警察官に**包囲**された。

いみ つつむ・つつみ・なかにおおいこむ ●**包**み紙・紙**包**み・小**包**・**包**囲・**包**括・**包**含・**包**装・**包**帯・**包**容・内**包**
●**送りがなに注意**…「小包」は、「小包み」とは書かない。

きを つけよう　包の「己」を「巳」としない。

女(おんな)の部・6画
左右型／ノ(ななめぼう)

くん このむ　母はあまいものを好むので、なかなかやせない。
　　 すく　　あの人だけは、どうも虫が好かない。
おん コウ　　シンデレラに好運がおとずれた。
　　　　　　　試合で好成績をおさめる。

いみ ❶よい● 好運・好感・好機・好況・好景気・好成績・好調・好都合・好適・好転・好評・良好　❷このむ・すき● 好意・好悪・好学・好奇心・好事家・好物・愛好・同好会　❸よしみ・つきあい● 親好・友好

なりたち

女の人がすわっている形。

赤んぼうの形。

もとは「女」と「子」をあわせて、わかい女、つまり、むすめのことをあらわしたが、むすめは美しいものだということで〈よい・すき〉の意味になった。

となえかた

好	くノ一で(おんなへん)
好	フにたてまげはねて
好	よこぼうをかく

女＋子＝好
男＋子＝

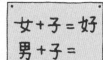

つかいわけ　友達の好意を無にする。ご厚意に感謝します。

女(おんな)の部・12画
左右型／ノ(ななめぼう)

くん ―
おん (エン)　清少納言は、才媛として名高い。

いみ うつくしい女の人・ひめ ●才媛
●特別な読み…〈都道府県〉愛媛
＊同じ意味をあらわす漢字に「姫」があり、どちらも「ひめ」のこと。

なりたち

 → 女

女の人がすわっている形。

 → 爰

ふたつの手の間にものがあり、ゆとりのある形。

女 と 爰 で 媛

ゆとりのあるしとやかな女の人のことから〈うつくしい女の人〉の意味になった。

となえかた

媛　くノ一で（おんなへん）

媛　ノツ　よこ2本

媛　ノに又をかく

きを つけよう　媛と似ている字…援

子(こ)の部・10画
左右型／一(よこぼう)

くん まご
この絵本は、はじめは作家が**孫**のためにつくったものだった。
先生は、**初孫**ができたとよろこんでいた。
孫子の代まで、この美しい自然を残してやりたい。

おん ソン
クラスに、有名な戦国武将の**子孫**がいる。

いみ ❶まご● 孫子・内孫(内孫)・外孫(外孫)・初孫(初孫) ❷血すじのもの● 孫弟子・王孫・皇孫・子孫・天孫

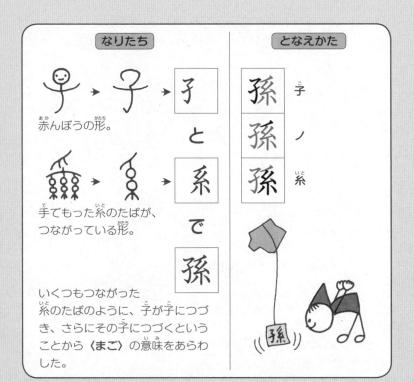

なりたち

赤んぼうの形。

手でもった糸のたばが、つながっている形。

子 と 系 で 孫

いくつもつながった糸のたばのように、子が子につづき、さらにその子につづくということから〈まご〉の意味をあらわした。

となえかた

孫 子
孫 ノ
孫 糸

きを つけよう 孫の「系」を「糸」としない。

子(こ)の部・8画
□その他型／ノ(ななめぼう)

くん ──
おん キ　夏は、海へ山へと、いろいろとたのしい**季節**だ。
　　　年季が入った、町のパン屋の職人さん。
　　　おこづかいで**季刊**のまんが雑誌を買う。
　　　熱帯の国では**雨季**になると、うっとうしい日が数か月もつづく。

いみ ❶**すえ・おわり** ●季夏・季子・季春　❷**とき・きかん・時節** ●季刊・季語・季節・季題・雨季・夏季・乾季・四季・秋季・春季・冬季・年季

つかいわけ　**時季**はずれの雪。入学の**時期**。**時機**をうかがう。

耂(おいかんむり)の部・6画
上下型／一(よこぼう)

くん おいる　となりの家の庭には、老いたサクラの大木がある。
　（ふける）　最近、父は老けた。
おん ロウ　老人はいたわらなければいけない。
　　　　老眼になると、近くがみえにくくなる。
　　　　老朽化した体育館の、建て直しが決まった。

いみ ❶おいる・年をとる・おとしより● 老化・老眼・老朽・老後・老骨・老女・老人・老体・老若(老若)・老年・老幼・敬老・初老・養老　❷ものをよく知っている・ものごとによくなれている● 老成・老大家・老練・元老・長老・老舗

●特別な読み…(老舗)

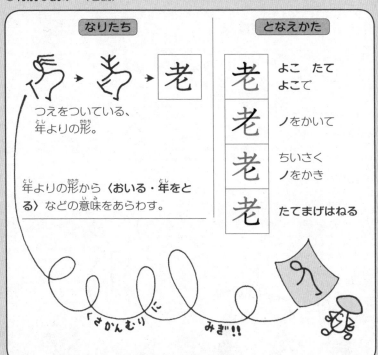

なりたち

つえをついている、年よりの形。

年よりの形から〈おいる・年をとる〉などの意味をあらわす。

となえかた

よこ　たて　よこで

ノをかいて

ちいさくノをかき

たてまげはねる

〈さかんむりにみぎ!!〉

きを　つけよう　老と似ている字…考・孝

欠(あくび)の部・4画
□ その他型／ノ(ななめぼう)

- **くん** かける　お皿をうっかり落として、ふちが**欠ける**。
  - 失敗を話題にだしたのは、思いやりに**欠ける**行動だった。
  - 月食で満月が**欠ける**さまを観察する。
- **かく**　水は、人間が生きるために**欠く**ことができない。
- **おん** ケツ　かぜの流行で、**欠席**している人が多い。
  - 自分の**欠点**に気づいても、なおすのはむずかしい。

いみ ❶かける・たりない●欠員・欠格・欠航・欠損・欠乏・補欠　❷きず・よくない●欠陥・欠点・完全無欠　❸いない・やすむ●欠勤・欠場・欠席・出欠

なりたち

口を大きくあけて、あくびをしている形。

人前であくびをすることは、れいぎにかけることなので〈かける・たりない〉などの意味をあらわす。

となえかた

欠　ノ フと つづけて
欠　人をかく

クイズ　完全□欠　□に入る漢字は？　①未　②不　③無

食(しょく)の部・12画
左右型／ノ(ななめぼう)

くん めし　朝飯はかならず食べるようにと、祖母にいつもいわれる。
学校に着くまで、顔に飯粒がついているのに気がつかなかった。

おん ハン　キャンプの夕食は、飯ごうでご飯をたいた。
ぼくは赤飯が大好きだ。

いみ 食事・めし●飯粒・朝飯・五目飯・握り飯・晩飯・昼飯・麦飯・焼き飯・飯ごう・飯台・飯店・飯場・飯料・残飯・炊飯・赤飯・夕飯

なりたち

食 → 食 → 食
人があつまって、ものをにてたべること。

反 → 反
手で板をおしている形で、くりかえすこと。

食 と 反 で 飯

板をなんどおしても、もとにもどるように、毎日くりかえしたべるもののことから〈食事・めし〉のことをあらわす。

となえかた

飯　ひとやねに
飯　てん　ヨ
飯　たてはね　てんつけて
飯　よこ一　ノをかき
飯　フに右ばらい

きを つけよう　飯の「飠」を「食」としない。

頁(おおがい)の部・12画
左右型／ノ(ななめぼう)

くん ——
おん ジュン　親に従順な子が、よい子とはかぎらない。
おじの手術の経過は、順調だそうだ。
友だちに、家までの道順をおしえる。
列の順番を守る。

いみ ❶したがう・すなお●順当・順応・順法・温順・柔順・従順　❷ものごとが、うまく進む●順境・順調・順風　❸じゅんばん●順位・順延・順次・順序・順番・順路・席順・筆順・道順

きを つけよう　順の「貝」を「見」としない。

頁(おおがい)の部・19画
左右型／一(よこぼう)

くん ねがう　宇宙飛行士が、無事で地球に帰るように願う。
　　　　どうぞ、よろしくお願いします。
おん ガン　関東ブロックの試合への出場という宿願をはたす。
　　　　病気がなおるようにと願をかけた。
　　　　不老不死は、人類の見果てぬ願望だ。
　　　　兄と母は、受験する学校に入学願書をとどけにいった。

いみ ❶ねがう・ねがい●願い事・願書・願望・哀願・依願・志願・宿願・出願・請願・嘆願・念願・悲願　❷がん・神やほとけにたのみいのる●願文・祈願・大願

なりたち

がけの下のいずみの形。

と

人の頭の形で、顔のこと。

で

がけ下を流れるいずみに顔をうつしてみて、美しくなりたいと思うことから〈ねがい〉の意味をあらわす。

となえかた

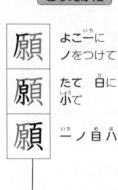

よこ一に
ノをつけて

たて　白に
小で

一ノ目ハ

クイズ　□力本願　□に入る漢字は？　①地　②他　③多

頁（おおがい）の部・18画
左右型／丶（てん）

- **くん** たぐい　この**類**いの洋服は、たくさんもっている。
- **おん** ルイ　秋冬の**衣類**をクローゼットから出して、虫干しをする。
  小鳥の**種類**を図鑑で調べる。
  お正月は、**親類**にお年玉をもらうのがたのしみだ。

いみ ❶**なかま・おなじしゅるいの**●類別・衣類・魚類・種類・親類・人類・鳥類・同類・分類　❷**にたもの・にかよっている**●類義語・類型・類語・類似・類書・類推・類題・類例・比類・無類　❸**いっしょに災難にあう**●類火・類焼

なりたち

いねのほの形と、人の形。
↓
人の頭の形で、顔のこと。
↓
類

米は米、人は人、それぞれのしゅるいということから〈なかま〉の意味にした。

となえかた

類　米に
類　大きい
類　一
類　ノ 目
類　ハ

きを つけよう　類の「大」を「女」としない。

臣(しん)の部・7画
□その他型／1(たてぼう)

くん ——
おん シン　秀吉は、信長に**家臣**としてつかえていた。
　　　　　歌舞伎座で、**忠臣蔵**のしばいをみた。
　　　ジン　総選挙が終わって、新しい内閣の**大臣**がきまった。

いみ 主君につかえるもの・けらい● 臣下・臣民・家臣・近臣・君臣・群臣・重臣・大臣・忠臣・忠臣蔵

なりたち

目をぐっとひらいて、みはっている形。

目をみひらいて体をかたくしていることから、〈主君につかえるもの・けらい〉の意味をあらわした。

となえかた

臣	たてぼう よこ一
臣	みじかい たてぼう
臣	かなのコかいて
臣	みじかい たてぼう
臣	そしてさいごに よこ一つける

きを つけよう　臣と似ている字…巨

45

氏(うじ)の部・5画
□その他型／一(よこぼう)

くん (たみ)
おん ミン

「ゲル」というのは、モンゴルの遊牧の民の移動式住居だ。
日本の古い民家の造りは、いろいろ種類もあっておもしろい。
神話や民話の中には、さまざまな動物がでてくる。

いみ たみ・いっぱんの人びと ● 民営・民家・民間・民芸・民衆・民主主義・民族・民有・民謡・民話・移民・原住民・国民・市民・住民・人民・村民・都民・農民

なりたち

はりでついて、目をみえなくした形。

視力をうばわれた、どれいのことから、のちに支配された人たちのことで〈たみ・いっぱんの人〉の意味になった。

となえかた

民	コをかいて
民	たてはね
民	よこ一
民	たてまげはねる

あなたのすきな民話を おはなししてよ

きを つけよう　民と似ている字…氏

目(め)の部・9画
□ その他型／1(たてぼう)

くん はぶく　　　　プリントに書いてある内容は、説明を**省**くそうだ。
　（かえりみる）　自分のおこないを**省**みると、よくない点がある。
おん セイ　　　　今回の試合での結果をうけて、**反省**会をひらく。
　　　ショウ　　　　学年で、**文部科学省**を見学しにいく。

いみ ❶注意ぶかくみる・ふりかえってかんがえる●省察(省察)・自省・内省・反省　❷はぶく・かんたんにする●省筆(省筆)・省略　❸国のしごとをする役所●省庁・省令・外務省・文部科学省　❹故郷をたずねる・みまう●帰省

なりたち

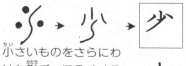
小さいものをさらにわけた形で、ほそくすること。

少 と

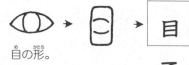
目の形。

目 で

省

目をほそめて、よくみることから
〈注意ぶかくみる・ふりかえってかんがえる〉の意味をあらわす。

となえかた

省　たてはね
　　チョン　チン

省　ノをつけて

省　たて　かぎ
　　かいたら
　　よこ3本

目を
ほそめて
よく見て
ごらん　→ ヨ

きを つけよう　「**省**みる」は「省りみる」としない。

見(みる)の部・12画
□その他型／丶(てん)

くん おぼえる　新しくおそわった漢字の熟語を**覚える**。
　　　さます　　朝は七時に目を**覚ます**。
　　　さめる　　深夜に、物音で目が**覚める**。
おん カク　　秋の**味覚**といえば、サンマと、ブドウなどの果物だ。

いみ ❶**おぼえる**●覚え書き・心覚え・物覚え　❷**かんじる**●感覚・視覚・触覚・知覚・聴覚・味覚　❸**さとる・さとり・さとった人**●覚悟・才覚・自覚・先覚者・不覚　❹**目がさめる**●覚醒

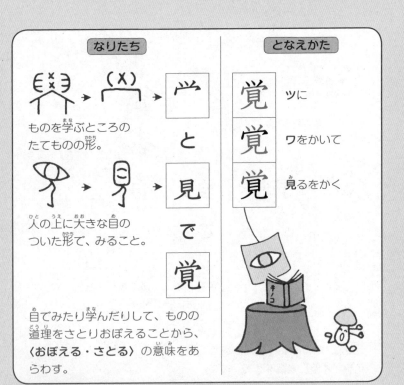

なりたち	となえかた
ものを学ぶところのたてものの形。→ 丷 と	覚　ツに
人の上に大きな目のついた形で、みること。→ 見 で	覚　ワをかいて
→ 覚	覚　見るをかく

目でみたり学んだりして、ものの道理をさとりおぼえることから、〈おぼえる・さとる〉の意味をあらわす。

きを つけよう　覚の「見」を「貝」としない。

見(みる)の部・18画
左右型／ノ(ななめぼう)

くん ——

おん カン　ヘチマの成長を**観**察する。
　　　　研究の**観**点をはっきりさせる。
　　　　山上からの港の景**観**はすばらしい。

いみ ❶**よくみる・ながめる**●観客・観劇・観光・観察・観賞・観戦・観測・観覧・参観・傍観　❷**もののみかた・かんがえかた**●観点・観念・客観・主観・人生観・世界観・悲観・楽観　❸**ありさま・ながめ**●外観・奇観・景観・美観

なりたち	となえかた

すばしっこい尾の短い鳥の形。

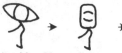

人の上に大きな目のついた形で、みること。

雚 と 見 で 観

すばしっこく大きな目でみることから、〈よくみる・ながめる〉の意味をあらわす。

観	ノ 一に よこぼう
観	イをかいて
観	てん 一
観	たてでよこ3本
観	右にかん字の見るをかく

念入りに　よくみないと まちがうよ

きを つけよう　観と似ている字…勧・歓

口(くち)の部・11画
左右型／｜(たてぼう)

くん となえる　おぼうさんが念仏を唱える。
コペルニクスは地動説を唱えた。
兄の県大会出場に、家族みんなでばんざいを唱える。
おん ショウ　先生のピアノの伴奏にあわせて、みんなで合唱する。

いみ ❶となえる・いう・よむ● 唱道・唱和・暗唱・高唱・主唱・提唱・復唱　❷うたう・うた● 唱歌・愛唱歌・歌唱・合唱・吟唱・斉唱・独唱・二重唱・輪唱

なりたち

口の形。 → 口

太陽と口の形で、明るくはっきりということ。 → 昌

口をあけて、みんなではっきりと大きな声でうたうことから〈となえる・うたう〉の意味をあらわす。

となえかた

唱　口をかいたら（口へんに）
唱　日をふたつ

きを つけよう　唱の「昌」は、上の「日」を小さく書く。

50

口(くち)の部・5画
□その他型／一(よこぼう)

くん ——
おん シ　五年生の女子が、文化発表会の**司会**をつとめることになった。
　　　　飛行機の発着は、管制塔からの航空無線で**司令**する。
　　　　すもうの**行司**が、勝った力士の勝ち名乗りをあげる。

いみ つかさどる・とりしきる・**仕事や役目をうけもつこと** ● 司会・司教・司祭・司書・司法・司令・行司・宮司・国司・上司・保護司

つかいわけ　**司**令官の命令。監督の**指**令に従う。

口(くち)の部・6画
□その他型／ノ(ななめぼう)

くん（おのおの）　レジャーシートは、**各**でもっていくことになった。
おん カク　今回の台風で、関東地方の**各地**に被害がでた。
　　　　　この美術館は、**世界各国**の子どもの絵を展示している。

いみ それぞれ・めいめい・ひとりひとり・いろいろ ●各位・各員・各学校・各紙・各誌・各自・各人・各地・各派・各部・各方面・各界・各戸・各個・各国
●**読み方に注意**…「各各」と書いて「おのおの」と読んでもよい。

クイズ　各人各□　□に入る漢字は？　①形　②様　③相

口（くち）の部・8画
□その他型／ノ（ななめぼう）

くん まわり　祖父は毎朝、公園の池の**周り**を散歩する。
　　　　　　大事なことをきめるときには、**周り**の人の意見をきく。
おん シュウ　文化発表会を成功させるため、**周**到に準備をととのえる。
　　　　　　ハレーすい星は、約七十六年の**周**期で地球に近づく。

いみ ❶**すみずみまでゆきわたる・ゆきとどく**●周知・周到　❷**めぐる・まわる・まわり**●周囲・周期・周航・周波数・周辺・周遊・一周忌・円周・外周・十周年記念・半周

つかいわけ　池の**周り**を歩く。火の**回り**が早い。

辛(からい)の部・13画
左右型／ノ(ななめぼう)

くん (やめる)　学習塾に通うので、そろばん塾を**辞める**。
姉は結婚して、会社を**辞めた**。

おん ジ　**辞書**は長く使うから、たいせつにあつかおう。
市長が卒業式にきて、**祝辞**をのべた。

いみ ❶**ことば・文章**●辞書・辞典・辞令・訓辞・告辞・賛辞・式辞・祝辞・送辞・答辞　❷**ことわる・やめる**●辞去・辞職・辞世・辞退・辞任・辞表・固辞

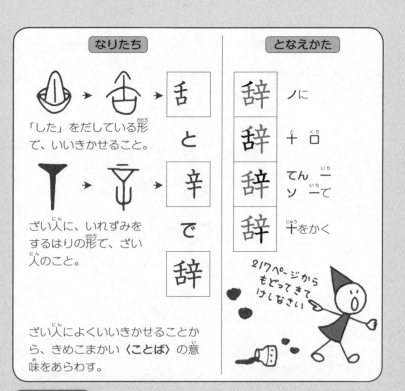

なりたち

「した」をだしている形で、いいきかせること。

ざい人に、いれずみをするはりの形で、ざい人のこと。

ざい人によくいいきかせることから、きめこまかい〈ことば〉の意味をあらわす。

舌 と 辛 で 辞

となえかた

辞　ノに
辞　十 口
辞　てん 一　ソ 一 で
辞　十をかく

217ページからもどってきてけしなさい

きを つけよう　辞の「辛」を「幸」としない。

言（げん）の部・15画
左右型／ヽ（てん）

くん ——

おん カ
金魚にえさをやるのは、ぼくの**日課**だ。
放課後の学童クラブがたのしみだ。
父は**課長**に昇進したそうだ。
中学では、剣道が体育の**正課**になる。

いみ ❶わりあてる・わりあててきめたもの● **課外**・**課業**・**課税**・**課題**・**課程**・**課目**・**学課**・**正課**・**日課**・**放課後** ❷役所や会社のしごとのくわけ● **課長**・**会計課**・**人事課**・**総務課**・**文書課**

なりたち

針は、心とおなじ音で心のこと。それと口で思うことをいうこと。

くだものの実が、なっている形。

木に実をならせるように、結果をみのらせる仕事をいいつけ〈わりあてる〉意味をあらわす。

となえかた

課 ごんべんで
課 ひらたい日に
課 木のうえながく

つかいわけ 国民に税金を**課**する。罰金刑を**科**する。

言(げん)の部・13画
左右型／ヽ(てん)

くん こころみる　父が柱時計の修理を試みたが、だめだった。
　　（ためす）　プラモデルができあがって、動くかどうかを試す。
おん シ　　　　映画の試写会の券が当たった。
　　　　　　　　二月は入試の季節だ。

いみ ❶ためす・ためし ● 試合・試案・試運転・試作・試写・試射場・試乗・試食・試聴・試用・試練　❷テストする・しらべる ● 試験・試問・試薬・考試・追試・入試

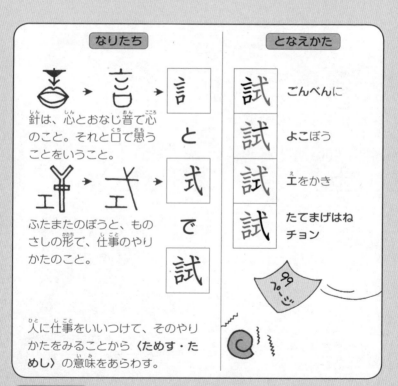

なりたち

針は、心とおなじ音で心のこと。それと口で思うことをいうこと。

ふたまたのぼうと、ものさしの形で、仕事のやりかたのこと。

人に仕事をいいつけて、そのやりかたをみることから〈ためす・ためし〉の意味をあらわす。

となえかた

試　ごんべんに

試　よこぼう

試　エをかき

試　たてまげはねチョン

99ページ

きを　つけよう　「試す」は「試めす」としない。

言(げん)の部・20画
左右型／丶(てん)

くん ──

おん ギ　たいせつなことは、いつもクラスで**協議**してきめている。
学級会の**議題**は、前日にきまる。
中山さんの案に**異議**なし。

いみ ❶話しあう・そうだんする● 議決・議論・協議・決議・審議・討議・論議　❷会議のこと● 議案・議員・議会・議場・議席・議題・議長・会議　❸意見・かんがえ● 異議・疑議・建議・抗議

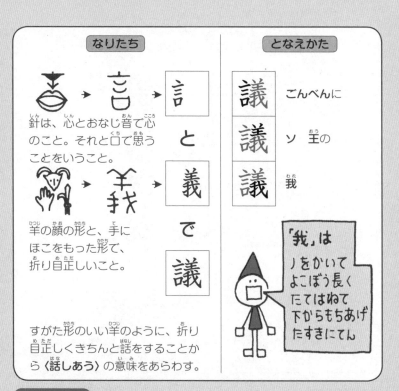

きを つけよう　議の「我」の「丶」をわすれずに書く。

言(げん)の部・14画
左右型／ヽ(てん)

- **くん** とく　ローマ法王が、人類の平和を**説く**メッセージを発表した。
- **おん** セツ　祖母から村のこわい**伝説**をきく。
　　　　　　弟に、テレビの録画のしかたを**説明**する。
- （ゼイ）　選挙の立候補者が、市内を**遊説**する。

いみ ❶**とく・よくわかるようにはなす**●説教・説得・説法・説明・説諭・演説・解説・概説・高説・遊説・力説・論説　❷**はなし・ものがたり**●説話・私小説・小説・伝説　❸**意見**●学説・自説・社説・新説・卓説・珍説・風説

なりたち

針は、心とおなじ音で心のこと。それと口で思うことをいうこと。

口をひらいて、わかるように話している人の形。

言 と 兌 で 説

心に思ったことを、ことばにだして〈よくわかるようにはなす〉ことをあらわす。

となえかた

説　ごんべんに
説　ソをかき
説　口かき
説　ひとあしをかく

きを つけよう　説の「ル」を「ル」としない。

言(げん)の部・10画
左右型／丶(てん)

くん ——
おん クン

先週、学校で避難訓練をした。
音読みと訓読みをまちがえる。
始業式では、校長先生の長い訓示があった。
音訓索引で調べて、すばやく目的のページをひらく。

いみ ❶おしえる・みちびく・おしえ● 訓育・訓戒・訓示・訓辞・訓練・訓話・遺訓・家訓・教訓　❷漢字を日本語でよむよみかた● 訓読・訓読み・音訓・和訓

なりたち

針は、心とおなじ音で心のこと。それと口で思うことをいうこと。

川の形で、すなおに流れにしたがうこと。

川の形にそって、水が流れるように、ことばにすなおにしたがわせることで〈おしえる・みちびく〉の意味をあらわす。

となえかた

訓	てん 一
訓	よこ よこ
訓	口をかき（ごんべんに）
訓	たてぼう3本 川をかく

けんかはダメ!

クイズ　「上」の訓読みを4つ以上あげてください。

立(たつ)の部・20画
左右型／ヽ(てん)

くん (きそう) 両チームが得点を**競う**試合展開になった。
(せる) ゴールの間近で、三人のランナーがはげしく**競る**。

おん キョウ **競歩**の歩き方は、ちょっとむずかしそうだ。
ケイ 母といっしょに、**競馬場**に馬をみにいった。

いみ きそう・あらそう・せりあう ● 競泳・競演・競技・競争・競走・競歩・競馬・競輪・徒競走

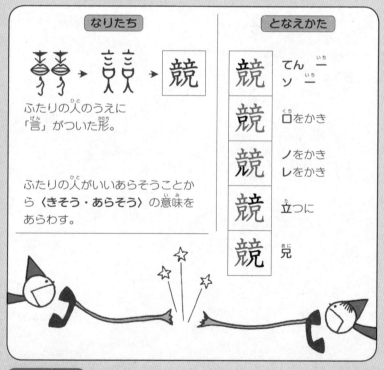

なりたち

ふたりの人のうえに「言」がついた形。

ふたりの人がいいあらそうことから〈きそう・あらそう〉の意味をあらわす。

となえかた

競	てん 一 ソ 一
競	口をかき
競	ノをかき レをかき
競	立に
競	兄

つかいわけ 生存**競争**。百メートル**競走**。

八(はち)の部・6画
上下型／一(よこぼう)

くん とも　姉と共に、母の誕生日ケーキをつくる。
　　　　　カマキリの幼虫は、よく共食いをする。
おん キョウ　物語は、キツネとオオカミの共同生活からはじまる。
　　　　　一輪車は、兄と共用だ。

いみ みな・ともにする ● 共食い・共倒れ・共栄・共演・共学・共感・共議・共産主義・共存(共存)・共通・共同・共有・共用・共立・共和・公共・男女共学

なりたち

かずの二十（廿）と、両手の形。

おおぜいの人が、力をあわせて仕事をすることから〈みな・ともにする〉の意味をあらわす。

となえかた

共	よこ
共	たて　たてで
共	よこぼうながく
共	したにかたかなハをつける

つかいわけ　共同経営。協同組合。

手(て)の部・10画
□上下型／丶(てん)

くん あげる　来週、母方のおじが結婚式を**挙げる**。
　　　　　　　例を**挙げて**、ひとつひとつていねいに説明する。
　　　あがる　ようやく、事件の重要な証拠が**挙がる**。
おん キョ　　山口くんの意見に反対の人は、**挙手**してください。
　　　　　　　その人は、ヨットで世界一周の**快挙**をなしとげた。

いみ ❶あげる・もちあげる・とりあげる ●挙手・検挙・推挙・選挙・枚挙・列挙　❷おこなう・おこない・そぶり ●挙行・挙式・挙動・快挙・軽挙・壮挙・暴挙　❸あげて・みんなで・ぜんぶ ●挙国・挙党・大挙

なりたち	となえかた
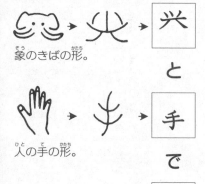	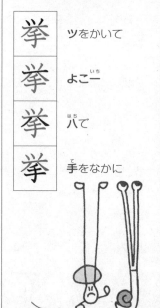

象のきばは大きくて貴重なので、おおぜいの手でもちあげ、大事にはこんだことから〈あげる・もちあげる〉の意味をあらわす。

つかいわけ　例を**挙**げる。腕前を**上**げる。

手(て)の部・7画
左右型／一(よこぼう)

くん おる　指を折って、クリスマスまでの日数をかぞえる。
　　　　　わたしは、折り紙を折るのが得意だ。
　　　おり　庭にいろいろな草花を植えて、四季折々の花をたのしむ。
　　　おれる　この木の枝は、かんたんに折れる。
おん セツ　プリズムを使って、光の屈折を調べる。
　　　　　友だちが、ころんで足を骨折した。

いみ ❶**おる・おれる・まがる**●折り紙・折り目・曲折・屈折・骨折・左折　❷**わける**●折衷・折半　❸**くじく・くじける**●折衝・挫折　❹**せめる・いじめる**●折檻

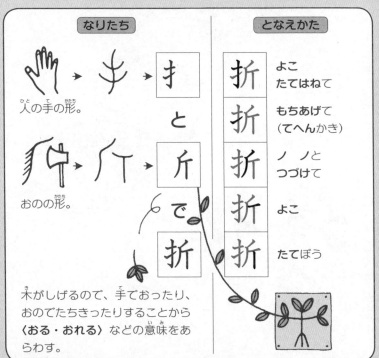

なりたち

人の手の形。
おのの形。

木がしげるので、手でおったり、おのでたちきったりすることから〈おる・おれる〉などの意味をあらわす。

となえかた

折　よこ
折　たてはねて
　　もちあげて
　　（てへんかき）
折　ノ ノと
　　つづけて
折　よこ
折　たてぼう

きを　つけよう　折の「斤」を「斥」としない。

《くみたてクイズ》

くみたてクイズの
葉っぱ(は)がとんできた。
　　できるかしら？

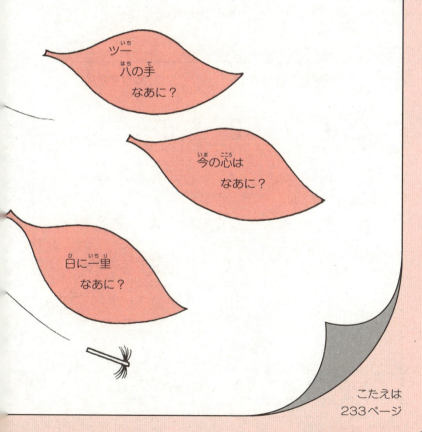

ツー
八(はち)の手(て)
なあに？

今(いま)の心(こころ)は
なあに？

白(ひ)に一里(いちり)
なあに？

こたえは
233ページ

攵(のぶん)の部・7画
左右型／一(よこぼう)

くん あらためる　である調で書いた作文を、ですます調に改める。
　　　　　　　　　先生に注意されて、授業中の態度を改める。
　　　　あらたまる　お正月の朝は、改まったあいさつをする。
おん カイ　　　　　自転車についての交通ルールが、一部改正された。
　　　　　　　　　かさを持って、改札口で父を待つ。

いみ ❶なおしてよくする・かえる● 改悪・改革・改行・改作・改宗・改修・改称・改心・改正・改選・改善・改造・改築・改定・改訂・改良　❷しらべる● 改札

なりたち	となえかた
 人が、ひざまずく形。  手にむちをもった形で、たたくこと。 改 わるいおこないをした人をむちでたたいて、あらためさせることから〈なおしてよくする・かえる〉などの意味をあらわす。	改 コに 　　たてまげて 改 ノーと 　　つづけ 改 左にはらって 改 右ばらい

きを つけよう　改の「己」を「巳」としない。

攵〈のぶん〉の部・11画
左右型／1（たてほう）

くん やぶれる　バレーボールの試合に**敗**れた。
おん ハイ　　接戦で、**勝敗**のゆくえはまったく不明だ。
　　　　　　試合の**敗因**は、チームワークのみだれだった。

いみ ❶**まける・やぶれる**●敗因・敗軍・敗残・敗者・敗色・敗戦・敗走・敗北・完敗・勝敗・全敗・大敗・連敗　❷**かたちがくずれる・だめになる**●敗血症・失敗・腐敗

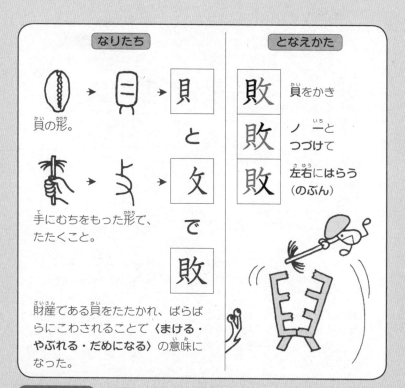

なりたち

貝の形。

手にむちをもった形で、たたくこと。

貝と攵で敗

財産である貝をたたかれ、ばらばらにこわされることで〈まける・やぶれる・だめになる〉の意味になった。

となえかた

敗　貝をかき

敗　ノーとつづけて

敗　左右にはらう（のぶん）

つかいわけ　決勝戦で**敗**れる。紙が**破**れる。

攵(のぶん)の部・12画
左右型／一(よこぼう)

- **くん** ちる　　秋が深まり、イチョウの葉が**散**る。
- ちらす　　花を**散**らす、強い風がふいた。
- ちらかす　弟はいつも、子ども部屋をおもちゃで**散**らかす。
- ちらかる　たくさんの本やぬいだ服で、部屋が**散**らかる。
- **おん** サン　　犬を**散歩**につれだすのは、わたしの役目だ。
- 　　　　　二か月に一回は、かならず**散髪**屋さんにいく。

いみ ❶ちる・ちらす・ちらばる ● 散会・散見・散在・散財・散水・散髪・散布・散薬・散乱・解散・集散・飛散・分散・離合集散・離散
❷きままな ● 散策・散文・散歩

なりたち

植物のアサと、肉の形。

手にぼうをもった形で、たたくこと。

昔 と 攵 で 散

ぼうで肉をたたいて、アサのせんいのようにばらばらにしたもの、つまり、こまぎれの肉のことから〈ちる・ちらす〉の意味をあらわす。

となえかた

散	サをかき
散	よこ一
散	月をかき
散	ノ 一と つづけて
散	左右にはらう (のぶん)

きを つけよう　散の「攵」を「欠」としない。

日（ひらび）の部・12画
上下型／1（たてぼう）

- **くん** もっとも　日本で**最**も広い平野は、関東平野だ。
- **おん** サイ　ものごとは、すべて**最初**がかんじんだ。
世界の**最高峰**は、エベレスト山だ。

いみ もっとも・たいへんに ●最愛・最悪・最強・最近・最古・最後・最期・最高・最高峰・最終・最初・最小・最少・最上・最新・最善・最多・最大・最低・最適・最良・最寄り
●**特別な読み**…（最寄り）

なりたち

あいてのぼうしに手を入れて、耳をとっている形。

いくさでは、敵をうちとり、そのしょうことして耳を取ることが、もっとも重要だったことから〈もっとも〉という意味になった。

となえかた

最	ひらたい日
最	よこ　たて
最	よこ　よこ　もちあげて
最	たてぼう　かいたら
最	フに右ばらい

つかいわけ　**最後**までがんばって走る。祖父の**最期**をみとる。

卩 (ふしづくり)の部・6画
左右型／ノ (ななめぼう)

くん しるし
- 母はなんでもかんでも、ぼくの持ち物に印をつける。
- 宅配便の荷物をうけとった印に、はんこをおす。
- つまみぐいをした印に、クリームが鼻の頭についている。

おん イン
- もらった手紙は、三月三日の消印だ。
- 夏休みの印象的なできごとは、はじめての海外旅行だ。

いみ ❶**はんこ**●印鑑・印章・印肉・消印・検印・実印・調印・封印・認め印 ❷**しるし・マーク**●目印・印紙・印象 ❸**いんさつ**●印刷・印字

なりたち

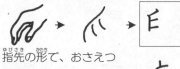

指先の形で、おさえつけること。

ひざまずいている人。

E と **卩** で **印**

ひざまずいている人を、上からおさえてしたがわせることだったが、のちに、上からおさえておす〈はんこ〉の意味でつかうようになった。

となえかた

印	ノ たて
印	よこで
印	よこぼうかいて
印	**かぎまげ** はねたら
印	たておろす

ぜったい
ケンカを しません
㋕ ㋖

さんこう インドを漢字で書くと 印。

亅（はねぼう）の部・6画
□ その他型／ノ（ななめぼう）

くん あらそう　カルタとりで、弟と**争**う。
病状は一刻を**争**う事態だ。

おん ソウ　どちらが速く泳げるか、**競争**しよう。
地球上から**戦争**がなくなる日がきますように。

いみ あらそう・きそう ● 争議・争奪・争点・争乱・競争・抗争・政争・戦争・闘争・内争・紛争・論争

なりたち

つめをたてた手と、ぼうをひっぱる手の形。

ぼうをとろうとして、上の手と下の手とがはりあっている形から〈あらそう〉の意味をあらわす。

となえかた

クをかいて

ヨのなかながく

たてぼうはねる

ふたりとも印をおしたのに！

きを　つけよう　「**争**う」は「**争**そう」としない。

工(え)の部・10画

□その他型／丶(てん)

くん さす
この季節は、ベランダに日光がよく**差す**。
あたたかい部屋に入ったら、顔に赤みが**差して**きた。
ドリルを二時間もやっていると、いいかげんいや気が**差す**。
こしに刀を**差す**ときは、刃が上を向くようにする。

おん サ
日本とハワイでは、約十九時間の**時差**がある。

いみ ❶**ちがい・へだたり** ●差し引き・差異・差額・差別・格差・誤差・時差・小差・大差・落差 ❷**さしいれる** ●状差し・水差し ❸**ひき算のこたえ** ●差
●**特別な読み**…(差し支える)

なりたち	となえかた
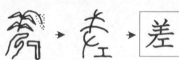 いねのほがたれた形と、手とものさして左のこと。 いねは他の植物とちがって、みのると、ぐっとたれさがる。また、左手と右手は、おなじように器用ではない。どちらもちがいがあるということで〈ちがい〉の意味をあらわす。	差 ソ 差 𦍌 差 ノ 差 工

つかいわけ 武士が刀を**差す**。北の方角を**指す**。

大(だい)の部・5画
□その他型／ノ(ななめぼう)

くん うしなう　小さなうそで、大切な友人を**失**った。
　　　　　　　金賞をもらうなんて、気を**失**うくらい、おどろいた。

おん シツ　　　つくえの引き出しのかぎを紛**失**してしまった。
　　　　　　　失敗は成功のもと。

いみ ❶**なくす・うしなう**●失格・失業・失敬・失職・失神・失点・失念・失望・失明・失礼・失恋・遺失・消失・喪失・損失・得失・紛失・流失　❷**まちがえる・しくじる・あやまち**●失火・失言・失策・失笑・失政・失態・失敗・過失

なりたち

人が、手足をはげしくうごかしておどり、うっとりしている形。

神においのりをささげ、うっとりした状態になって、われをわすれることで、「自失」の意味から〈**なくす・うしなう**〉の意味になった。

となえかた

失　ノをかいて
失　よこぼう2本
失　人をかく

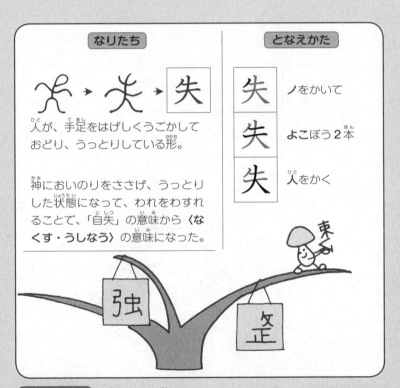

きを　つけよう　「**失**う」は「失なう」としない。

イ（ぎょうにんべん）の部・10画
左右型／ノ（ななめぼう）

くん ―
おん ト

駅まで**徒歩**で十分ぐらいかかる。
かぜで**生徒**が十人も休んだ。
あんなに努力したのに、すべて**徒労**に終わってしまった。

いみ ❶**歩くこと**●徒行・徒卒・徒歩 ❷**でし・学生・ひとびと**●徒弟・徒党・学徒・囚徒・信徒・生徒・暴徒・門徒 ❸**なにもしない・むだな**●徒食・徒労 ❹**手になにももたない**●徒手

なりたち

十字路の左半分と足の形で、歩くこと。

地面から草のめがでた形で、土のこと。

徒 と 土 で 徒

のりものにのらず、足で土をふんで歩いていくことから〈**歩くこと**〉をあらわす。

となえかた

徒　ノ　イとかき（ぎょうにんべん）

徒　土をかいたら

徒　たて　よこかいて

徒　左によせた人をかく

きを　つけよう　徒と似ている字…従

イ(ぎょうにんべん)の部・8画
左右型／ノ(ななめぼう)

くん ——
おん ケイ

コンパスで、**半径**が五センチメートルの円をかく。
円の**直径**に円周率をかけると、円周の長さがでる。
天体望遠鏡は、**口径**が大きいほど、星がきれいに見える。

いみ ❶**こみち**●径路・山径・小径・石径 ❷**さしわたし**●口径・直径・半径

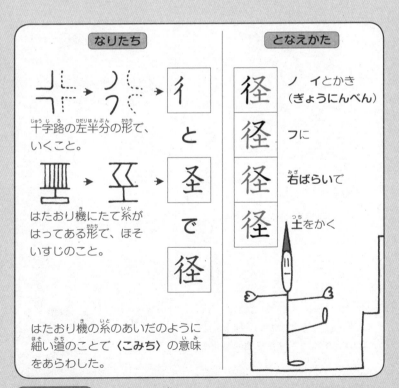

なりたち

十字路の左半分の形で、いくこと。 → 彳

はたおり機にたて糸がはってある形で、ほそいすじのこと。 → 圣

彳 と 圣 で 径

はたおり機の糸のあいだのように細い道のことで〈こみち〉の意味をあらわした。

となえかた

ノ イとかき（ぎょうにんべん）
フに
右ばらいで
土をかく

きを つけよう　径と似ている字…経

イ(ぎょうにんべん)の部・14画
左右型／ノ(ななめぼう)

くん ―

おん トク　村長さんがみんなから愛されるのは、**人徳**があるからだ。
　　　　道徳を学ぶことは、とても大切だ。
　　　　大袋の**徳用**チョコを買う。

いみ ❶よいおこないをする心のはたらき●徳性・徳望・徳行・人徳・不徳・報徳　❷おしえ・人のふむべき道●徳育・徳目・悪徳・道徳・美徳　❸めぐみ・有利なこと●徳用・功徳

なりたち

十字路の左半分の形で、いくこと。

十と目と心ぞうの形。

十人の目と心で判断した正しいことをおこなうことから〈よいおこないをする心のはたらき〉をあらわした。

となえかた

徳　ぎょうにんべんに
徳　（ノイとかき）
徳　十
徳　四の
　　心

クイズ　徳が入るのは？　①道□　②納□　③独□

行(ぎょう)がまえの部・12画
左右型／ノ(ななめぼう)

くん まち　今度の週末は、街へ買い物にいく。
　　　　　十二月の街はにぎやかだ。
おん ガイ　夕方になると、街灯がつく。
　　　　　市長選の街頭演説をきく。
　（カイ）街道筋は交通がはげしい。
　　　　　奥州街道は、江戸時代の五街道のひとつだ。

いみ まち・おおどおり ● 街道・街灯・街頭・街路樹・市街・住宅街・商店街・繁華街

なりたち

十字路の形で、大通りのこと。

土をきれいにもりあげた形。

きちんと土地が整地され、四方八方に道がまっすぐのびていることから〈まち・おおどおり〉の意味になった。

となえかた

ノ イとかき（ぎょうにんべん）

よこ たて よこの

土ふたつ

よこぼう2本で

たてはねる

つかいわけ　街に買い物に行く。町役場への道順を聞く。

廴(えんにょう)の部・9画
その他型／一(よこぼう)

くん たてる　祖父母が、バリアフリーの新しい家を建てる。
　　　たつ　　駅前に、いろいろなお店が入るビルが建つ。
おん ケン　　学校の近くに、新しい大きな図書館が建設された。
　　　（コン）聖武天皇は、全国に「国分寺」を建立した。

いみ ❶たてる・あたらしくつくる● 建具・建坪・建て前・建物・建国・建設・建造・建築・建立・再建・土建　❷意見をもうしたてる● 建議・建白

●送りがなに注意…「建具」「建物」は、「建て具」「建て物」とは書かない。

なりたち

手にふでをもった形で、文章を書くこと。

ぎょうにんべんをのばした形で、ゆっくりいくこと。

と

で

建

法律や意見を書きとめることで、じっくり文章をつくることから〈あたらしくつくる・たてる〉ことをあらわした。

となえかた

建	ヨのなかながく
建	よこ2本
建	たてぼうとおして
建	フをつづけて
建	右ばらい

つかいわけ　ビルが建つ。電柱が立つ。

辶(しんにょう)の部・10画
□その他型／一(よこぼう)

くん つらなる　雪をいただいた山やまが、遠くに**連**なる。
　　　つらねる　先発メンバーには、おなじみの選手が名を**連**ねる。
　　　つれる　　父はよく、博物館へ**連**れていってくれる。
おん レン　　　父は、ゴールデンウイークに九**連**休をとる。
　　　　　　　　このところの**連**日の特訓で、体がへばった。

いみ ❶つらなる・つづく ● 連休・連係・連結・連呼・連載・連作・連山・連日・連勝・連想・連続・連打・連帯・連投・連動・連発・連峰・連名・連盟・連夜・連絡・連立・一連・関連　❷つれる・ひきつれる ● 道連れ・連行　❸なかま ● 連合・連中・常連

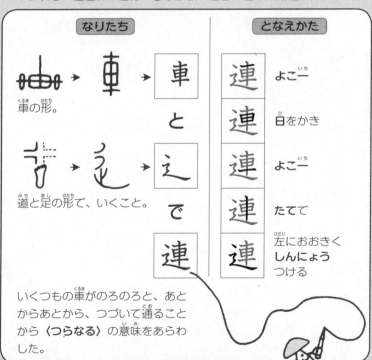

きを　つけよう　「**連**なる」は「**連**らなる」としない。

辶(しんにょう)の部・5画
□その他型／一(よこぼう)

くん あたり　朝起きると、**辺**りいちめんの雪で、おどろいた。
　　　　　　　この**辺**に、花屋さんがあったはずだ。
　　　べ　　　旅行先の海**辺**で、貝ひろいをした。
おん ヘン　　**辺**地での医療をどうするかは、大きな問題だ。
　　　　　　　定規できれいな二等**辺**三角形をかく。

いみ ❶そば・へり● 海辺(海辺)・川辺・岸辺・水辺・近辺・周辺・身辺・底辺・二等辺三角形・平行四辺形　❷はて・かたいなか● 辺境・辺地

なりたち

道のいきついた形。

と

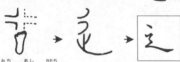
道と足の形で、いくこと。

で　辺

道を、いきつくところまで歩いていった、そのはてのことから〈はて・へり〉の意味をあらわした。

となえかた

辺　かぎまげはねて

辺　ノをかいて

辺　左におおきく**しんにょう**つける

きを つけよう　辺の「刀」を「力」としない。

辶(しんにょう)の部・15画
□その他型／一(よこぼう)

くん えらぶ　旅行にもっていく本を**選ぶ**。
おん セン　対戦相手は、どの**選手**も強そうだ。
県の音楽コンクールに**入選**した。
兄は生徒会長の**選挙**に立候補した。

いみ えらぶ・よりわける ● 選外・選球眼・選挙・選考・選者・選手・選出・選択・選定・選抜・選別・再選・人選・当選・特選・入選・予選・落選

なりたち

きちんとすわっている人と、おくり物の形。

道と足の形で、いくこと。

おくり物をするばあいには、相手をうやまい、もっていくのによい物だけをえらぶことから〈えらぶ〉の意味をあらわす。

となえかた

選　コに
たてまげはねを
ふたつかき

選　よこ　たて　たて
よこ　ハをつけて

選　左におおきく
しんにょう
つける

クイズ　□**捨選択**　□に入る「捨」の反対語は？

辶(しんにょう)の部・12画
□その他型／一(よこぼう)

くん ——
おん タツ　大雪で、郵便物の配達がおくれる。
父は水泳の達人だ。
あと十五分ぐらいで、頂上に達する。
クラスで集めた募金が、目標額に達する。

いみ ❶**たっする・いきつく・とどく**● 達成・栄達・上達・速達・通達・伝達・到達・配達・発達　❷**すぐれている**● 達観・達者・達人・達筆・熟達・練達
●**特別な読み**…友達

なりたち

羊の形と、地面から草のめがでた形。

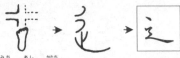

道と足の形で、ゆっくりとすすむこと。

幸
と
辶
で
達

羊は、らくらく赤ちゃんが生まれるので、ぶじにお産が終わることから〈たっする・いきつく〉の意味になった。

となえかた

達　よこ たて
　　よこで

達　ソをかいて

達　よこぼう3本

達　たておろし

達　左におおきく
　　しんにょう
　　つける

きを つけよう　達の「幸」を「幸」としない。

心(こころ)の部・8画
上下型／ノ(ななめぼう)

くん ——
おん ネン

卒業記念には、アルバムがもらえるそうだ。
旅行の無事を念じる。
小さな子どもたちは、砂遊びに余念がない。
忘れ物がないかどうか、でかける前に念をおす。

いみ ❶心にふかく思う●念入り・念願・念頭・念力・観念的・記念・執念・信念・専念・丹念・入念・余念・理念 ❷口でとなえる●念仏

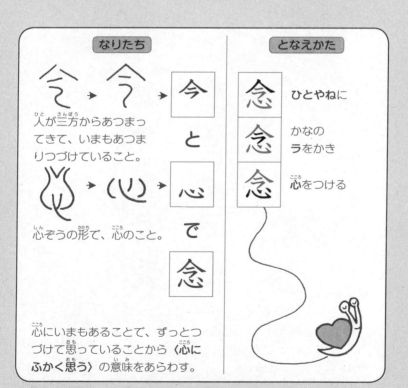

なりたち

今 → 今 → 今

人が三方からあつまってきて、いまもあつまりつづけていること。

心 → 心 → 心で

心ぞうの形で、心のこと。

→ 念

心にいまもあることで、ずっとつづけて思っていることから〈心にふかく思う〉の意味をあらわす。

となえかた

念　ひとやねに
念　かなのラをかき
念　心をつける

クイズ　□の耳に念仏　□に入る動物は？

心(こころ)の部・13画
上下型／ノ(ななめぼう)

くん ——
おん アイ　子を思う親の**愛情**は深い。
　　　　ぼくは心から音楽を**愛**する。
　　　　「赤とんぼ」の歌は、多くの人に**愛唱**されている。

いみ ❶かわいがる・いとしくおもう●愛育・愛玩・愛犬・愛児・愛称・愛鳥・敬愛・情愛・親愛・博愛　❷男女がしたいあう●愛情・愛人・相愛・熱愛・恋愛　❸おもしろいとおもう・このむ●愛好・愛唱・愛読・愛用　❹たいせつにする●愛護・愛国・愛着・友愛
●特別な読み…〈都道府県〉愛媛

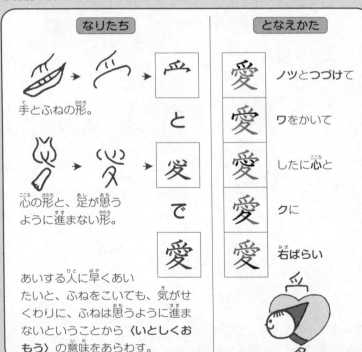

クイズ　□恩□愛□に入る同じ漢字は？　①相　②同　③互

このクイズ、
わかるかしら？

《よくばりクイズ》

音…夜、みてくださいね。

小…くしゃみがでますよ！

人…あなたは、これが 好きかしら？

歯…ごはんをたべるときに使います。

児…雨あがりの空を、みてごらん。

「音」は「ね」というよみかたと「オン」というよみかたがあるから、よくばって、二つつづけると「ねオン」。

こたえは
233ページ

歹(いちた/へん)の部・10画
左右型／一(よこぼう)

くん のこる　学校に残って、バレーボールの練習をした。
　　　のこす　友だちがるすだったので、置き手紙を残して帰った。
おん ザン　　残念ながら、パーティーは欠席だ。
　　　　　　　残金は五十円だ。

いみ ❶のこる・のこす・のこり● 残り物・残額・残菊・残業・残金・残暑・残雪・残存・残念・残飯・残留・敗残・老残・名残　❷ひどいこと・しうち・むごい● 残虐・残酷・残忍・無残
●特別な読み…(名残)

なりたち

ほねの形。

ほこを二つかさねた形で、切ること。

と

で

残

肉をたべたあとにのこるほねのことから、〈のこり〉の意味になり、また、武器で相手をきずつけることから〈ひどいこと・しうち〉の意味にもなった。

となえかた

残　よこ一

残　夕をかき

残　よこ3本

残　そしてさいごに　たすきにてん

残った場所

メモに どうぞ

クイズ　残り物には□がある　□に入る漢字は？

力(ちから)の部・5画
左右型／一(よこぼう)

くん くわえる 大学いもに黒ごまを**加える**と、おいしくなる。
三に七を**加える**と、十になる。
くわわる 三年生が応援団のメンバーに**加わる**ことになった。
おん カ オリンピックは、参**加**することに意義があるといわれる。

いみ くわえる・くわわる・なかまにする ● 加害・加減・加護・加工・加算・加勢・加速度・加担・加入・加熱・加筆・加味・加盟・参加・増加・追加

なりたち

うでの力こぶの形。

口の形で、ことばのこと。

うでだけでなく、ことばもそえて、たすけることから〈くわえる〉の意味をあらわす。

となえかた

加 ちから(リョク)に
加 くち(コウ)

ちからにくち!!

きを つけよう 「**加**える」は「加わえる」としない。

十(じゅう)の部・8画
左右型／一(よこぼう)

くん ——
おん キョウ

文集は、クラス全員の**協力**がなければ、できなかった。
十一か国の経済の自由化を目的とした**協定**が結ばれた。
みんなで**協議**して、劇の配役をきめる。

いみ ❶**力や心をあわせる** ● 協会・協合・協賛・協奏・協調・協同・協同組合・協力・協和　❷**おれあう** ● 協議・協定・協約・妥協

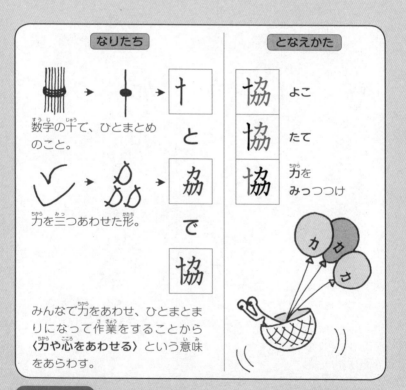

なりたち

数字の十で、ひとまとめのこと。

力を三つあわせた形。

十 と 劦 で 協

みんなで力をあわせ、ひとまとまりになって作業をすることから〈力や心をあわせる〉という意味をあらわす。

となえかた

協　よこ
協　たて
協　力をみっつつけ

きを つけよう　協の「力」を「刀」としない。

力(ちから)の部・5画
左右型／一(よこぼう)

くん ──
おん コウ　実験が**成功**して、新型のロボットがうまれた。
　　　　地域社会の発展に**功労**のあった人の表彰式があった。
　（ク）　**功徳**をつんだ、えらいお坊さんの話をきいた。

いみ ❶**てがら・てきばえ**● 功罪・功績・功名・功利的・功労・成功・大功・武功　❷**ききめ**● 功徳・奏功

なりたち

ものさしの形で、きちんとものをつくること。

うでの力こぶの形。

力をつくして、きちんと仕事をすることから〈てきばえ〉の意味になった。

となえかた

功　よこぼう
功　たてで
功　もちあげて
功　かぎまげはねて
功　ノをつける

きを つけよう　功と似ている字…**切**

力(ちから)の部・9画
上下型／一(よこぼう)

くん いさむ　弟は勇んで、野球の大会にでかけていった。
　　　　　　合格通知をうけとった兄は、喜び勇んでとびだした。
おん ユウ　　友だちをいじめている人を、勇気をだして注意する。
　　　　　　入場行進をする日本代表の勇姿を、テレビでみる。

いみ いさましい・きりょくがあってつよい● 勇み足・勇敢・勇気・勇士・勇姿・勇者・勇将・勇壮・勇退・勇断・勇名・勇猛・勇躍・忠勇・武勇

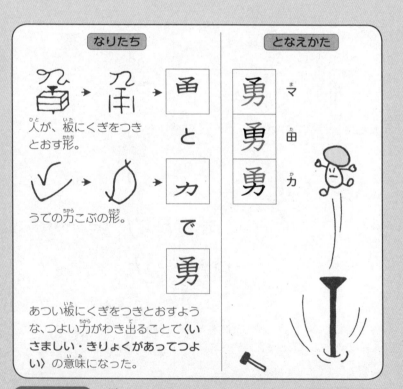

なりたち

人が、板にくぎをつきとおす形。

うでの力こぶの形。

囲 と 力 で 勇

あつい板にくぎをつきとおすような、つよい力がわき出ることで〈いさましい・きりょくがあってつよい〉の意味になった。

となえかた

勇 マ
勇 田
勇 カ

きを つけよう　「勇む」は「勇さむ」としない。

力〈ちから〉の部・7画
上下型／丶（てん）

くん ——
おん ロウ　労働をしたあとの食事は、とてもおいしい。
　　　　　大昔に城を築くのには、多大な労力が必要だっただろう。
　　　　　苦労はわかいときにするものだと、祖父にいわれた。

いみ ほねをおってはたらく ● 労役・労苦・労作・労使・労組・労働・労力・慰労・過労・勤労・苦労・功労・心労・徒労・疲労

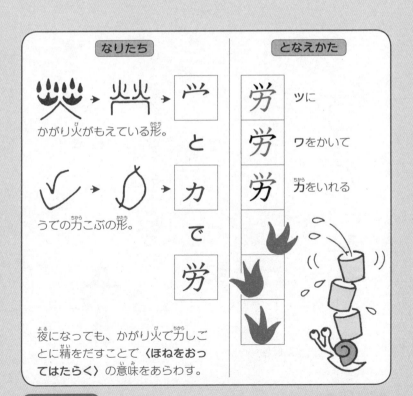

なりたち

かがり火がもえている形。

うでの力こぶの形。

夜になっても、かがり火で力しごとに精をだすことで〈ほねをおってはたらく〉の意味をあらわす。

となえかた

労　ツに
労　ワをかいて
労　力をいれる

きを　つけよう　労の「力」を「刀」としない。

力(ちから)の部・7画
上下型／ノ(ななめぼう)

くん つとめる
友人の気持ちを理解しようと、せいいっぱい**努める**。
真夏は電力不足になるので、みんなで節電に**努める**。
試合に負けた選手の前で、**努めて**明るくふるまう。

おん ド
クラス全員の**努力**のかいがあって、音楽会は成功した。
エジソンは天才ではなく、たいへんな**努力家**だった。

いみ はげむ・つとめる・がんばる●努力

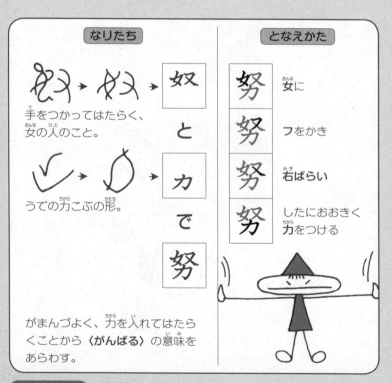

なりたち

手をつかってはたらく、女の人のこと。

うでの力こぶの形。

奴 と 力 で 努

がまんづよく、力を入れてはたらくことから〈がんばる〉の意味をあらわす。

となえかた

努 女に
努 フをかき
努 右ばらい
努 したにおおきく力をつける

つかいわけ 成績向上に**努める**。リーダーを**務める**。会社に**勤める**。

貝(かい)の部・11画
上下型／ノ(ななめぼう)

くん ——
おん カ

王様は、てがらを立てた二人に、**金貨**を十枚ずつあたえた。
島への荷物は、週一回、**貨物**便で運ばれる。
近所の**雑貨**店で、洗剤を買う。

いみ ❶**お金・ざいさん**●貨幣・悪貨・外貨・金貨・銀貨・硬貨・財貨・通貨・銅貨・良貨 ❷**にもつ**●貨車・貨物・雑貨・百貨店

なりたち

 → 化

人のさかさまの形で、すがたをかえること。

貝の形 → 目 → 貝

貝の形で、お金のこと。

化 と 貝 で 貨

お金は、いろいろな品物にかえることができるところから〈お金・ざいさん〉の意味をあらわした。

となえかた

貨　イをかいて
貨　ノに
貨　たてまげはねて
貨　したに貝

きを つけよう　貨と似ている字…貸・貧

貝(かい)の部・12画
上下型／一(よこぼう)

くん ―
おん ガ　祝賀パレードが通る沿道は、お祝いにかけつけた人でいっぱいだ。
元日に年賀状がとどくのは、やっぱりうれしいね。
新年の一般参賀が、皇居でおこなわれた。

いみ いわう・よろこぶ ● 賀詞・賀春・賀正・賀状・謹賀新年・慶賀・参賀・祝賀・年賀・拝賀

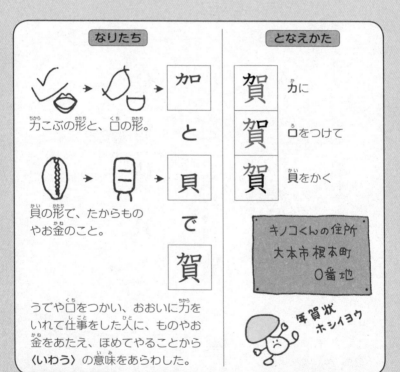

きを つけよう　賀の「貝」を「見」としない。

牛(うし)の部・8画
左右型／ノ(ななめぼう)

- **くん**（まき）　朝の**牧場**が、きりにつつまれる。
- **おん** ボク　牛たちは、夕方になると**牧舎**へ帰ってゆく。
　　　　　教会の**牧師**さんが、結婚式をとりおこなう。

いみ ❶牛や馬などの家畜をはなしがいすること●牧牛・牧舎・牧場(牧場)・牧草・牧畜・牧笛・牧童・牧夫・牧野・牧歌・放牧・遊牧
❷みちびく・おさめる●牧師・牧民

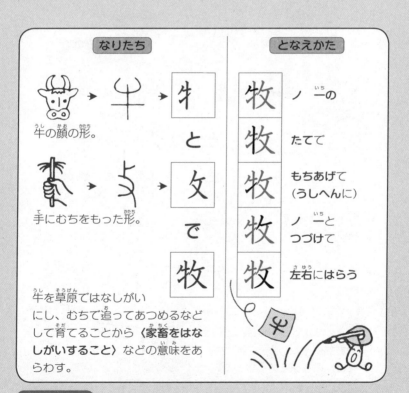

なりたち

牛の顔の形。

手にむちをもった形。

牛 と 攵 で 牧

牛を草原ではなしがいにし、むちで追ってあつめるなどして育てることから〈家畜をはなしがいすること〉などの意味をあらわす。

となえかた

牧　ノ ー の
牧　たてて
牧　もちあげて（うしへんに）
牧　ノ ー と つづけて
牧　左右にはらう

きを つけよう　牧の「攵」を「欠」としない。

牛(うし)の部・10画
左右型／ノ(ななめぼう)

くん ――

おん トク　この店の料理は、**独特**な味がする。
　　　　わたしの**特技**は、なわとびだ。
　　　　トウモロコシは、北海道の**特産物**だ。

いみ ふつうとちがう・めだつ・とくに ● 特異・特技・特産・特質・特殊・特種・特集・特賞・特色・特性・特製・特設・特選・特大・特長・特徴・特定・特等・特売・特別・特報・特有・特例・特価・特急・特許・特権・奇特・独特

なりたち

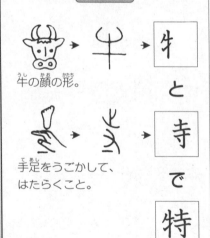

牛の顔の形。

手足をうごかして、はたらくこと。

牛はふつう、動作がのろいものだが、そのなかで動作がはやく、めだつおす牛のことから〈めだつ・とくに〉の意味をあらわした。

となえかた

特　ノ 一 で
特　たてぼう
特　もちあげて（うしへんに）
特　よこに土と
特　寸をかく

きを　つけよう　特と似ている字…持

食(しょく)の部・15画
上下型／丶(てん)

くん やしなう　働きながら五人の子どもを養うのは、かんたんではない。
　　　　　　　　読解力を養うには、本を読んで要約文を書くのがよい。
　　　　　　　　本番でもおちついてプレーができる実力を養う。
おん ヨウ　　　野菜をたくさん食べて、栄養をとる。

いみ ❶そだてる● 養育・養護・養蚕・養殖・養成・養分・栄養　❷からだをやすめ、力をつける● 養生・休養・静養・保養　❸心をゆたかにする● 教養・修養・素養　❹実子でない・そだての● 養子・養女・養父・養母

なりたち	となえかた

羊の顔の形。

と

人があつまって、ものをにてたべること。

で

養

養	ソ 王に
養	ひとやね
養	てん ヨを かいて
養	たてぼう はねたら
養	左右にはらう

おいしい羊の肉をたべさせて、ふとらせることから〈そだてる・力をつける〉の意味をあらわす。

きを　つけよう　「養う」は「養なう」としない。

羊(ひつじ)の部・13画
左右型／一(よこぼう)

- **くん** むれる　公園の池に**群れる**鳥を観察する。
- むれ　むこうの山の斜面に、羊の**群れ**がみえる。
- むら　こぼしたジュースに、あっというまにアリが**群がる**。
- **おん** グン　大ホームランに、球場の**群衆**が歓声をあげた。

いみ むらがる・むれ・おおぜい・たくさん ● 群衆・群集・群書・群小・群生・群像・群島・群舞・群盲・群落・一群・魚群・大群・抜群

なりたち

右手にぼうを持つ形と口で、指図する人。 → 君

羊の顔の形。 → 羊

と

で

群

指図したり、全体をまとめたりする番人によって、ひとまとまりになっている羊のことから〈むれ〉の意味をあらわす。

となえかた

群　ヨのなかながく
群　ノに
群　口をつけ
群　ソ 一で
群　よこ よこ たてぼうをかく

きを つけよう　群と似ている字…郡

馬(うま)の部・18画
左右型／1(たてぼう)

くん ——
おん ケン　入学試験のシーズンがはじまって、姉はいそがしそうだ。
友だちと山登りをしたのは、よい体験だったと思う。
（ゲン）　このお寺は、霊験あらたかだと、ひょうばんだ。

いみ ❶ためす・しらべる● 験算・経験・試験・実験・受験・体験　❷ききめ・しるし● 効験・霊験(靈驗)

なりたち

馬の形。
あつまるしるしと、口と人の形。
馬 と 僉 で 験

人があつまって、よい馬かどうかを口ぐちにいいあい、それをためし、しらべたことから〈ためす・しらべる〉の意味になった。

となえかた

験　たて　よこ　たてで　よこ2本
験　かぎまげはねて
験　てんよっつ
験　ひとやね　一　口

人をかく　56ページへとんでいけ

きを　つけよう　験と似ている字…険・検

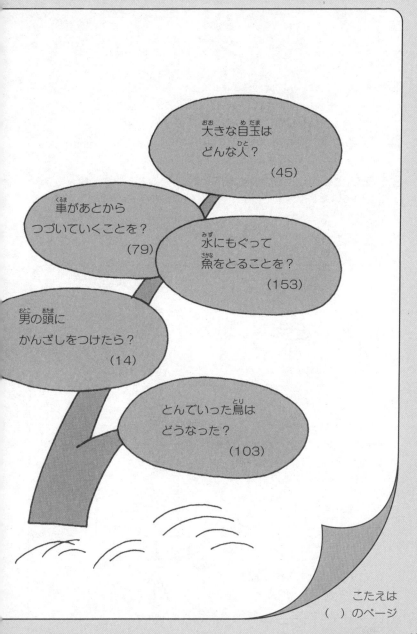

ʯ(ツ)の部・11画
上下型／丶(てん)

くん す
- ミツバチの巣から、おいしいはちみつがとれる。
- 校庭のケヤキに、手作りの巣箱をくくりつける。
- うっかり戸じまりを忘れて、空き巣に入られた。

おん (ソウ)
- 多くの鳥は、自分がもといた場所にもどる帰巣本能をもつ。

いみ ❶鳥や虫、魚、けもののすみか●巣立ち・巣箱・帰巣 ❷人のすんでいるいえ●空き巣・古巣・巣窟 ❸むらがるもの●病巣・卵巣

なりたち

木の上にある鳥のすに、ひながいる形。

もとは、木のえだにつくられた〈鳥のす〉のことだったが、いまは鳥ばかりでなく、〈虫、魚、けもののすみか〉の意味もあらわすようになった。

となえかた

巣　ツをかいて
巣　たて　かぎ
巣　よこ　よこ
巣　木のうえながく

きを つけよう 巣と似ている字…菓

一(いち)の部・4画
□その他型／一(よこぼう)

くん ──

おん フ　たばこの火の**不始末**が、火事の原因だそうだ。
　　　　ぼくは**不安**になると、いつも深呼吸をすることにしている。
　　ブ　玄関にかぎをかけないなんて、**不用心**だ。

いみ 〜しない・〜ではない・うちけしのことば ● 不安・不意・不運・不可・不快・不急・不景気・不幸・不在・不作・不自然・不始末・不自由・不純・不順・不信・不正・不足・不通・不定・不当・不動・不服・不平・不変・不満・不眠・不明・不用心・不利

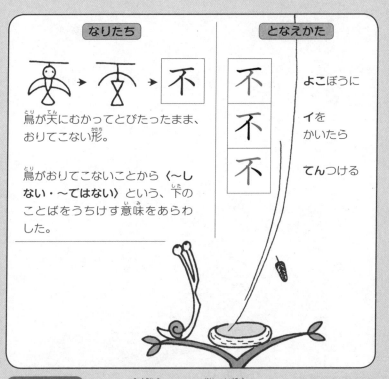

なりたち

鳥が天にむかってとびたったまま、おりてこない形。

鳥がおりてこないことから〈〜しない・〜ではない〉という、下のことばをうちけす意味をあらわした。

となえかた

よこぼうに

イを

かいたら

てんつける

クイズ　□の不養生　□に入る職業は？

飛(とぶ)の部・9画
□その他型／一(よこぼう)

くん とぶ　鳥のむれが、夕やけの空を**飛ぶ**。
　　　　新しい先生について、いろいろなうわさが**飛ぶ**。
　　　とばす　わかる問題からやって、わからない問題を**飛ばす**。
おん ヒ　**飛**行機に乗って、世界一周をしてみたい。

いみ ❶とぶ・とばす・とびあがる●飛び石・飛び入り・飛び火・一足飛び・飛球・飛行機・飛散・飛鳥・飛躍・飛来・高飛車　❷よりどころのない●飛言・流言飛語

なりたち

鳥がはねをひろげてとんでいる形。

鳥が空をとぶようすから〈とぶ〉という意味をあらわした。

となえかた

かぎまげはねて

チョン チョンつけて

たてぼうひいて

ノをふたつ

また
かぎまげはねて
チョン チョンをかく

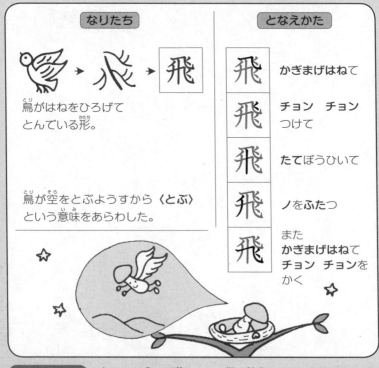

クイズ　飛ぶ□を落とす勢い　□に入る漢字は？

水(みず)の部・7画
その他型／一(よこぼう)

くん もとめる　返事を**求**める。
　　　　　文具店でノートを**求**める。
　　　　　人類の平和を**求**める人の波が、通りをうめた。
おん キュウ　新聞に、父の会社の**求**人広告がでていた。
　　　　　災害の原因を探**求**して、防災に努める。
　　　　　母に、おこづかいの増額を要**求**する。

いみ もとめる・さがす・ほしがる・ねがう ● 求愛・求刑・求婚・求職・求人・求心力・求道・希求・請求・探求・追求・要求・欲求

なりたち

手のまわりに毛がはえている形。ひふにはえた毛のことで、皮の衣服をあらわす。

皮の衣服は、よいものだったので人びとがほしがったことから〈もとめる・ほしがる〉の意味になった。

となえかた

求　よこ

求　たてはねて

求　ンをかき

求　左右にはらって

求　かたにてん

つかいわけ　幸福を**追求**する。真理を**追究**する。

火(ひ)の部・14画
上下型／ノ(ななめぼう)

くん くま
春山に登るときには、熊に注意する。
熊よけの鈴をつけて、登山をする。
児童公園の落ち葉を、熊手でかき集めて、そうじをした。
熊本県は、イグサの生産量が日本一だ。

おん ──

いみ クマ ● 熊手・子熊・白熊

なりたち

くまと人の形。

火がもえている形。

能 と 灬 で 熊

人間のようにかしこく、火のように気性がはげしい動物ということから〈くま〉をあらわした。

となえかた

熊 ム
熊 月
熊 ヒヒに
熊 てん よっつ

きを つけよう　熊と似ている字…態

鹿(しか)の部・11画
□その他型／丶(てん)

くん しか　春日大社の**鹿**は、神様の使いだといわれている。
　　　　　海でおぼれている**子鹿**を救出する。
　　　か　姉は、**鹿の子**しぼりの着物がよくにあう。
　　　　　鹿児島県のシラス台地では、サツマイモなどがつくられる。

おん ——

いみ シカ●鹿の子・子鹿

なりたち

角がある、おすのしかの形で〈しか〉のこと。

となえかた

鹿　てん　一ノ
鹿　かぎ　たて2本
鹿　そこふさぎ
鹿　よこ　たてまげて　もひとつ　ヒ

きを　つけよう　鹿の「广」を「厂」としない。

木(き)の部・5画
□ その他型／一(よこぼう)

くん すえ　ぼくは、五人兄弟のいちばん**末**だ。
おん マツ　毎年、**年末**は、いろいろいそがしい。
　　　　　　粉末の薬はにがい。
　　（バツ）　**末弟**をつれて、おばの家にいく。

いみ ❶はし・おわり● 末弟(末弟)・末期・末子(末子)・末日・末席・末代、末筆・学年末・学期末・月末・始末・年末・本末　❷つまらない● 末技・枝葉末節・粗末　❸こな● 粉末

なりたち

木のこずえをさししめした形。

木のこずえのさきを「ここだよ」としめす形で、木のよこぼうより長くかき〈はし・おわり〉の意味をあらわす。

となえかた

末	ながいよこぼう
末	みじかいよこぼう
末	たてぼうかいたら
末	左右にはらう

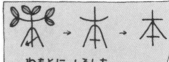

ねもとに しるしを つけると「おおもと」の意味になる

きを　つけよう　末と似ている字…未

木(き)の部・7画
その他型／一(よこぼう)

くん たば　古新聞を束にして、ひもでしばる。
　　　　誕生日に花束をおくる。
おん ソク　自由を束縛されるのは、きらいだ。
　　　　約束の時間はかならず守る。
　　　　クラス全員が結束して、運動会にのぞむ。

いみ ❶まとめてしばる・たばねる ●札束・花束・結束・収束・装束
❷とりきめる ●束縛・約束　❸ひとまとめにしたものをかぞえることば ●一束

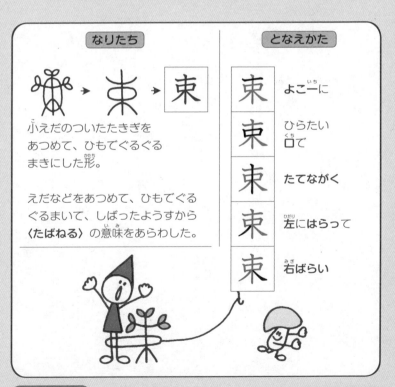

なりたち

小えだのついたたきぎをあつめて、ひもでぐるぐるまきにした形。

えだなどをあつめて、ひもでぐるぐるまいて、しばったようすから〈たばねる〉の意味をあらわした。

となえかた

束　よこ一に
束　ひらたい口で
束　たてながく
束　左にはらって
束　右ばらい

きを つけよう　束と似ている字…東

木(き)の部・9画
上下型／丶(てん)

くん さかえる　この一帯は、むかし栄えた宿場町だ。
　（はえ）　　ぼくたちのチームは、栄えある勝利を手にした。
　（はえる）　父は和服を着ると意外に栄える。
おん エイ　　担任の先生は、市の教育委員会に栄転になった。
　　　　　　栄養のバランスがとれた料理。
　　　　　　市の大会で、優勝の栄冠にかがやく。

いみ ❶さかえる・さかん● 栄華・栄枯・栄進・栄達・栄転・栄養・栄利・共栄・繁栄　❷ほまれ● 栄冠・栄光・栄名・栄誉・虚栄・光栄

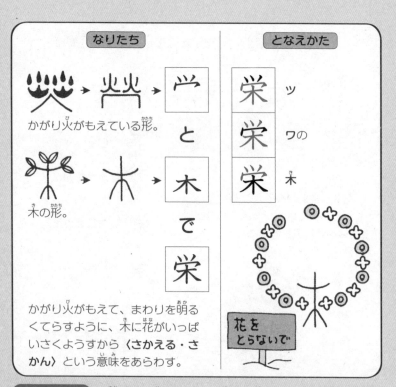

なりたち

かがり火がもえている形。
と
木の形。
で
栄

かがり火がもえて、まわりを明るくてらすように、木に花がいっぱいさくようすから〈さかえる・さかん〉という意味をあらわす。

となえかた

栄　ッ
栄　ワの
栄　木

花をとらないで

きを　つけよう　「栄える」「栄える」は、「栄る」「栄る」をとしない。

木(き)の部・10画
上下型／丶(てん)

くん ——
おん アン

お正月の家族旅行の**案**をねる。
歩いていたら、とつぜん**名案**がうかんだ。
東京からきたいとこを、県立美術館へ**案内**する。
ひえびえする寒さだと思ったら、**案の定**、雪になった。
祖母が自宅に無事についたかどうか**案じる**。

いみ 考える・考え・しらべる・したがき ● 案外・案出・案内・案の定・議案・原案・考案・思案・試案・新案・図案・成案・草案・提案・答案・発案・名案

なりたち

 → 安

人が家の中にいる形で、やすらかなこと。

 → 木

木の形。

安 と 木 で 案

人が家の中で、長いあしのつくえにむかい、らくなしせいでものを考えることから〈考える・しらべる〉などの意味をあらわす。

となえかた

案 ウかんむりに
案 女の
案 木

クイズ 案ずるより□むが易し □に入るのは？ ①住 ②組 ③う

111

木(き)の部・11画
上下型／ノ(ななめぼう)

くん なし　果物ナイフで梨をむく練習をした。
「幸水」は、梨の代表的な品種のひとつだ。
週末は、家族で梨もぎを楽しんだ。
山梨県側から富士山に登るのは、はじめてだ。

おん ―

いみ ナシ ●梨もぎ・洋梨

なりたち

利 → 初 → 利
いねのほがたれている形と、刀の形で、ほさきのように、するどく役に立つこと。

木 → 木 → 木
木の形。

と

で

梨

実にさまざまな効能があり、薬として役に立つ〈ナシ〉の木をあらわした。

となえかた

梨　ノ 木とかき

梨　たてぼう2本でおわりをはねて

梨　したにおおきく木をそえる

きを つけよう　梨の「木」を「本」としない。

木(き)の部・9画
左右型／一(よこぼう)

くん とち　栃の実を、あくぬきして食べる。
　　　　栃の木の並木が続く、公園通りを散歩する。
　　　　素朴な味の栃餅は、健康食品としても注目されている。
　　　　日光は、栃木県の代表的な観光地だ。

おん ──

いみ トチ●栃の木・栃の実・栃餅

なりたち

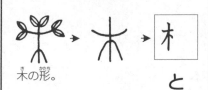
木の形。

枝とまんじ（卍）の形。

木 と 厉 で 栃

「十（とお）」と「千（ち）」をかけると「万」になることから、そこに木の形をつけて〈トチ〉の木をあらわした。

となえかた

木をかいて

ノにノをたてて

よこぼうで

かぎまげはねて
ノをたてる

さんこう　栃は「国字」といって、日本でつくられた漢字。

木（き）の部・16画
左右型／一（よこぼう）

くん （はた）　市の歴史民俗資料館で、**機**織りの体験をした。
おん キ　　プラモデルの**機**関車をつくる。
　　　　　チームに、一打逆転の**機**会がきた。

いみ ❶はたおり・しかけ・きかい●機織り・機械・機関・機関車・機器・機具・機材・織機・発電機　❷おり・きっかけ・しおどき●機会・危機・待機・動機　❸心やもののはたらき●機知・機能・機敏　❹「飛行機」のこと●機首・機上・機長　❺たいせつなところ●機密・枢機

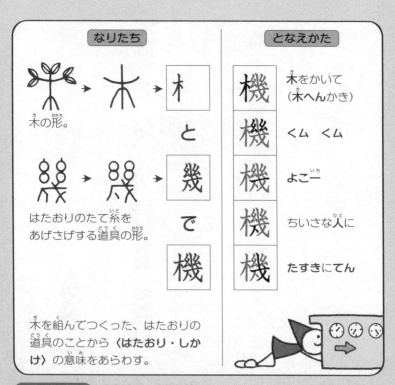

つかいわけ　精密**機械**。**器械**体操。

木(き)の部・11画
左右型／一(よこぼう)

くん ——
おん カイ

印刷の**機械**が高速でうごくようすを、工場で見学する。
精密機械のようなコントロールをもったピッチャー。
なにも考えず、ただ**機械的**に本のページをめくる。
父は、医療用の**器械**をつくる会社に勤めている。

いみ しかけ・しくみ ● 器械・機械

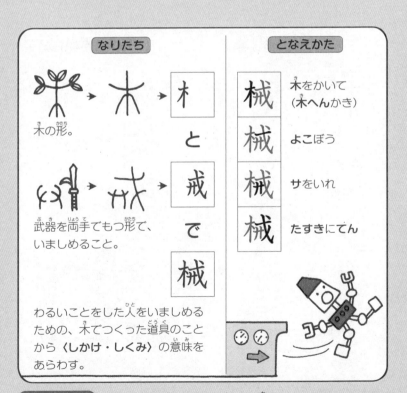

なりたち

木の形。

武器を両手でもつ形で、いましめること。

木 と 戒 で 械

わるいことをした人をいましめるための、木でつくった道具のことから〈しかけ・しくみ〉の意味をあらわす。

となえかた

械 — 木をかいて（木へんかき）
械 — よこぼう
械 — サをいれ
械 — たすきにてん

きを つけよう　械の「戒」の「丶」をわすれずに書く。

木(き)の部・8画
左右型／一(よこぼう)

くん まつ
家の門の前に門松をたてて、新年をむかえる。
神社の境内に、松の巨木が立っている。
海岸線に続く、美しい松並木。

おん ショウ
松竹梅は、中国の画題に由来する、めでたい三つの植物だ。

いみ マツ ●松飾り・松並木・松の内・松葉・松林・松原・松虫・老松・門松・若松・松竹梅

なりたち

木の形。

ひとりでかかえこもうとするのを、いっぽうでおしのける形で、みんなのものにすること。

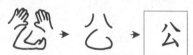

一年中葉の色がかわらないで緑色なので、木の代表（公）とされてきた〈まつ〉の木をあらわす。

となえかた

松　木をかいて（木へんかき）

松　すうじの八に

松　かなのムつける

きを つけよう　松の「八」を「へ」としない。

木(き)の部・10画
左右型／一(よこぼう)

- **くん** うめ　梅の花のにおいは、春のおとずれを感じさせる。
- **おん** バイ　ことしの梅雨は、いつまでつづくのだろうか。
市立公園の梅林に、みんなでスケッチにいく。

いみ ウメ ●梅干し・梅雨(梅雨)・梅園・梅花・梅肉・梅林・寒梅・観梅・紅梅・松竹梅・入梅・白梅・落梅
●**特別な読み**…(梅雨)

なりたち

木の形。

草がめをだした形とお母さんの形で、母親が子どもをうむように、つぎつぎにふえる草のこと。

つぼみがつくと、つぎつぎに花がさいて実がなる〈うめ〉の木をあらわす。

となえかた

梅	木をかいて (木へんかき)
梅	ノーで
梅	くをかき **かぎまげはねて**
梅	なかを**しきって**
梅	**よこぼうながく**

ホーホケキョ

クイズ　物の等級を表すことば「松□梅」。□に入る植物は？

木(き)の部・12画
左右型／一(よこぼう)

くん (きわめる) 七大陸の最高峰の頂上を極める。
工事は困難を極めた。
(きわまる) クライマックスの場面で、感極まって泣いた。
(きわみ) 大スターと握手できるなんて、感激の極みだ。
おん キョク 南極の探検隊は、ついに極点にたっした。
(ゴク) 冬のシベリアは、極寒の地となる。

いみ きわめる・きわまる・はて・きわめて ● 極限・極地・極致・極点・極度・極東・極力・極悪・極意・極暑・極上・極楽・極寒・究極・電極・南極・北極・陽極

なりたち

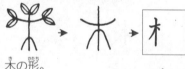
木の形。

あげた手も声も、とどかないほど高いところ。

と

亟

で

極

もっとも高いところまでのびた木のことで、〈きわまる・はて〉の意味をあらわす。

となえかた

極 木をかいて（木へんかき）

極 よこ一ひいて

極 たてまげはねて

極 かなの口とヌで

極 よこぼうをかく

つかいわけ 混雑を極める。学問を究める。

木(き)の部・15画
左右型／一(よこぼう)

くん ——
おん ヒョウ
春の交通安全運動の**標語**を考える。
自分でつかまえた昆虫の**標本**をつくる。
自転車にのるときは、**道路標識**をよくみる。
目標は、二十五メートルを泳ぐこと。

いみ ❶めじるし・めあて ● 標語・標識・標準・標柱・標的・商標・墓標・目標・門標 ❷しめす・あらわす ● 標記・標題・標本・座標・指標

なりたち

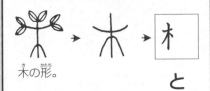

木の形。

神をまつる台と、ふだのはいった箱の形。

木 と 票 で 標

神からいただくお守りのふだを、木や板にはりつけたことから〈めじるし・めあて〉の意味をあらわした。

となえかた

標 — 木をかいて（木へんかき）
標 — よこ たて かぎで
標 — たて2本
標 — よこー そことじ
標 — 示す かく

きを つけよう 標の「覀」を「西」としない。

木(き)の部・7画
左右型／一(よこぼう)

くん ——
おん ザイ　山から**材**木をトラックではこんでくる。
新聞記者が学校を取**材**しにくる。
新会社が人**材**をもとめる。

いみ ❶ざいもく●**材**質・**材**木・製**材**・木**材**・用**材**・良**材**　❷原料となるもの・もとになるもの●**材**料・器**材**・教**材**・資**材**・取**材**・素**材**・題**材**　❸うまれながらの、のうりょく●逸**材**・人**材**・適**材**

なりたち

木の形。

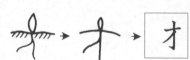

土の上にめが出た形で、これからだということ。

と 才 で 材

切りたおした木は、板や柱として、これから役にたつ木だということから〈ざいもく・原料となるもの〉の意味をあらわす。

となえかた

材	木をかいて（木へんかき）
材	よこ
材	たてはねて
材	ノをつける

クイズ　□**材**□**所**　□に入る同じ漢字は？

木（き）の部・5画
左右型／一（よこぼう）

くん ふだ　自分のロッカーに名札をつける。
　　　　　整理番号の札をうけとる。
おん サツ　この駅には、改札口が二か所ある。
　　　　　表札をたよりに、友だちの家をさがす。

いみ ❶ふだ・木や紙、金属などのきれはし●札止め・木札・切り札・名札・荷札・表札・門札　❷かきもの・手紙●手紙・鑑札・入札・落札　❸紙のおかね・おさつ●札束・五千円札・千円札　❹きっぷ●改札・検札

なりたち

木の形。

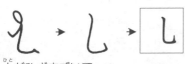

人がひざまずいて、おいのりする形。

むかしは、木や竹をうすくけずって板をつくり、それに願いごとなどを書いておいのりした。その木や竹の〈ふだ〉の意味をあらわす。

となえかた

札
札

木をかいて
（木へんかき）

たてまげはねる

きを　つけよう　札と似ている字…礼

青(あお)の部・14画
左右型／一(よこぼう)

くん
- **しず** お坊さんが、静静と歩く。
- **しずか** 秋の夜が静かにふけていく。
- **しずまる** さっきまでふいていた風が、とつぜん静まる。
- **しずめる** スタートの前に深呼吸をして、気を静める。

おん
- **セイ** 空気のきれいなところで、のんびり静養する。
- **(ジョウ)** 静脈注射は、効果が早くでる。

いみ しずか・うごかない ● 静脈・静観・静止・静粛・静寂・静水・静息・静聴・静電気・静物・静夜・静養・安静・閑静・鎮静・平静・冷静

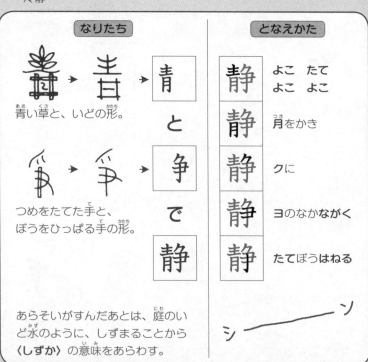

なりたち

青い草と、いどの形。

と

つめをたてた手と、ぼうをひっぱる手の形。

で

静

あらそいがすんだあとは、庭のいど水のように、しずまることから〈しずか〉の意味をあらわす。

となえかた

- 静 よこ たて よこ よこ
- 静 月をかき
- 静 クに
- 静 ヨのなかながく
- 静 たてぼうはねる

シーン

きを つけよう 静の「争」の「ク」を「マ」としない。

木(き)の部・5画
□その他型／一(よこぼう)

くん ―――
おん ミ　未解決の重大事件はたくさんある。
だれにもわからない未知の世界。
十八歳未満は入場できない。
注文した品物に、未着のものがある。
地球温暖化で、地球と人類の未来はどうなるのだろうか。

いみ まだ～しない ● 未開・未解決・未開発・未完・未完成・未決・未熟・未成年・未然・未知・未着・未定・未納・未満・未明・未来・未練

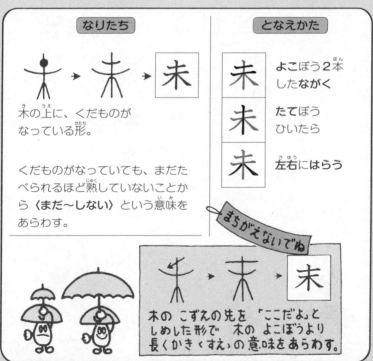

なりたち

木の上に、くだものがなっている形。

くだものがなっていても、まだたべられるほど熟していないことから〈まだ～しない〉という意味をあらわす。

となえかた

よこぼう2本 したながく
たてぼう ひいたら
左右にはらう

まちがえないでね

木の こずえの先を「ここだよ」と しめした形で 木の よこぼうより 長くかき くすえの意味をあらわす。

さんこう　未は、十二支の8番目でヒツジをあらわす。

木(き)の部・8画
☐ その他型／1(たてぼう)

くん はたす　父さんとの約束を果たす。
　　　　　　今月のおこづかいを使い果たす。
　　　 はてる　町並みが果てることなくつづく大都会。
　　　 はて　　宇宙に果てはないのかもしれない。
おん カ　　　南国の果実はおいしい。
　　　　　　果報者とは、しあわせ者のことだ。

いみ ❶はて・おわり・むくい●果報・因果・結果・効果・成果・戦果　❷くだもの・木の実●果実・果樹・果肉・果木・青果・果物　❸おもいきってする●果敢・果断
●特別な読み…果物

なりたち

木のえだに、くだものがついた形。

木の実ができると、つぼみ→花→実という生長のすじみちがおわることから〈はて・おわり〉の意味になり、さらに〈くだもの〉そのものの意味もあらわした。

となえかた

果　たて　かぎ
　　よこ　よこ
　　日をかいて

果　よこぼうながく

果　たてぼうおろし

果　左にはらって

果　右ばらい

きを　つけよう　「果たす」は「果す」としない。

サ（くさかんむり）の部・9画
上下型／一（よこぼう）

くん いばら　茨の冠をつけた、イエス・キリストの像。
野茨は、春に白っぽい花をつける。
夢の実現のため、あえて茨の道を歩む決心をする。
水戸黄門は茨城県の有名人だ。

おん ——

いみ イバラ・とげのある低い木 ● 茨の道・野茨

なりたち

草のはえている形。

一のつぎの二と、あくびをしている人の形。

サ と 次 で 茨

つぎつぎに枝や葉が出て生えることから、とげのある枝をもつ植物の〈いばら〉をあらわした。

となえかた

サをかいて（くさかんむり）

ンをかき

ノ フとつづけて人をかく

クイズ　「茨の道」とは？　①喜び　②苦しみ　③悲しみ

艹（くさかんむり）の部・8画
上下型／一（よこぼう）

くん め　木木の**芽生え**と風の香りに、春を感じる。
　　　　ボランティア活動ではじめて会った人と、友情が**芽生える**。
おん ガ　アサガオのたねの**発芽**を観察する。
　　　　麦芽は、水あめやビールの原料だ。

いみ ❶草や木のめ● 芽吹き・新芽・若芽・肉芽・麦芽・発芽　❷ものごとのはじまり・きざし● 芽生え

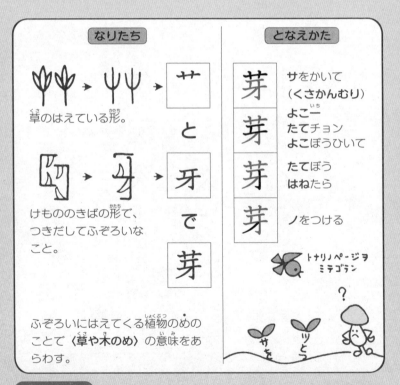

なりたち

草のはえている形。

けもののきばの形で、つきだしてふぞろいなこと。

艹 と 牙 で 芽

ふぞろいにはえてくる植物のめのことで〈草や木のめ〉の意味をあらわす。

となえかた

サをかいて（くさかんむり）
よこー
たてチョン
よこぼうひいて

たてぼう
はねたら

ノをつける

トナリノページヲミテゴラン

きを つけよう　芽の「牙」を「疋」としない。

サ（くさかんむり）の部・11画
上下型／一（よこぼう）

くん な
菜種油を料理に使う。
いちめん黄色にそまった菜の花畑。

おん サイ
健康維持のために、野菜をたくさん食べる。
春の野山にはいって、山菜を山ほどつんだ。
おじは菜食主義で、肉はいっさい口にしない。

いみ ❶な・なっぱ・あおもの・やさい ● 菜種・菜の花・青菜・油菜・菜園・菜食・山菜・白菜・野菜 ❷おかず ● 一汁一菜・前菜・総菜

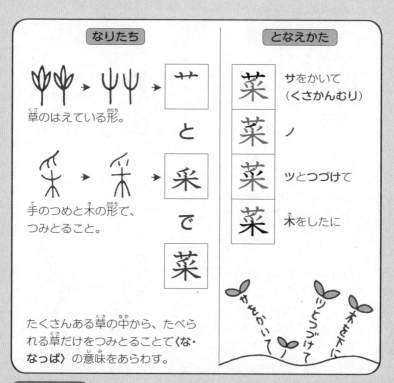

クイズ 青菜に□　□に入るのは？　①油　②酢　③塩

艹（くさかんむり）の部・7画
上下型／一（よこぼう）

くん ——
おん ゲイ

週末、父は庭で**園芸**をたのしむ。
学芸会で劇の主役をつとめた。
小林くんの人まねは、**芸**がこまかい。
母は**手芸**がじょうずだ。

いみ ❶草木をうえる●園芸・種芸・農芸 ❷わざ●芸事・芸術・芸当・芸道・芸人・芸能・演芸・学芸・技芸・曲芸・工芸・手芸・武芸・文芸・民芸・無芸

クイズ　芸は□を助ける　□に入るのは？　①人　②身　③己

艹（くさかんむり）の部・8画
上下型／一（よこぼう）

くん ——
おん エイ　無事に帰った宇宙飛行士は、国の**英**雄としてむかえられた。
　　　　兄は**英**語が話せる。
　　　　イギリスのことを**英**国という。

いみ ❶**すぐれている・ぬきんでている** ● 英気・英才・英姿・英断・英知・英名・英明・英雄・育英会・俊英　❷**イギリスのこと** ● 英会話・英語・英国・英字・英文・英訳・英和

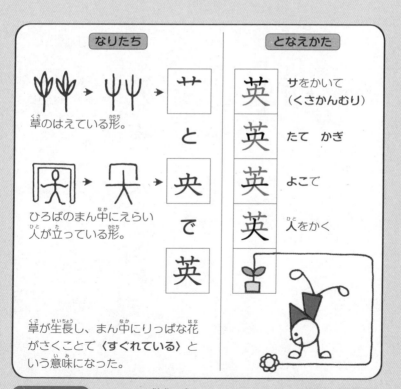

なりたち

草のはえている形。→ 艹

ひろばのまん中にえらい人が立っている形。→ 央

艹 と 央 で 英

草が生長し、まん中にりっぱな花がさくことで〈すぐれている〉という意味になった。

となえかた

英　サをかいて（くさかんむり）
英　たて　かぎ
英　よこで
英　人をかく

さんこう　イギリスを漢字で書くと　英。

竹(たけ)の部・10画
上下型／ノ(ななめぼう)

くん	わらう	校庭に、一年生の児童たちの**笑い**声がひびく。
	(えむ)	パンダのかわいさに、思わず**笑み**をうかべる。
おん	(ショウ)	おじは、口もとに微**笑**を絶やさない、やさしい人だ。

いみ わらう・にこにこする ● 笑い声・笑い事・笑い話・大笑い・高笑い・笑劇・笑殺・笑止・笑納・笑覧・苦笑・失笑・談笑・爆笑・微笑・冷笑・笑顔

●**特別な読み**…(笑顔)

なりたち

竹の葉の形で、竹のこと。

人がからだをくねらせて、わらっている形。

と　で　笑

竹が風にふかれたときのゆれかたが、人のわらっているすがたににているところから〈わらう〉の意味をあらわす。

となえかた

笑	ケをふたつ (たけかんむりに)
笑	ノーと つづけて
笑	人をかく
じ	エッヘッヘ
Ö	アハッハ

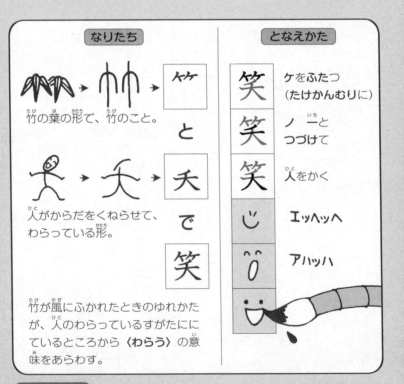

きを つけよう 笑の「夭」を「天」としない。

竹(たけ)の部・13画
上下型／ノ(ななめぼう)

くん ふし　竹の**節**をぬいて、ふえをつくる。
　　　　　　つき指をして、指の**節**がいたむ。
おん セツ　**季節**のかわりめは、雨が多い。
　　　　　　節分に豆をまく。
　（セチ）　元日の朝は、重箱につめられた**お節料理**をいただく。

いみ ❶**タケのふし・くぎりめ・つぎめ**●節穴・節句・節分・関節・季節・時節・章節・第一節・文節　❷**音楽のくぎり・ふしまわし**●節回し・音節・曲節　❸**ひかえめ・ほどよくする**●節減・節水・節制・節操・節電・節度・節約・礼節

きを つけよう　節の「即」を「良」としない。

竹(たけ)の部・14画
上下型／ノ(ななめぼう)

- **くん** くだ　父さんに、ガスコンロの**管**をとりかえてもらった。
- **おん** カン　**管**楽器は、ふいて音をだす。
  電車内の忘れ物は、駅で数日間**保管**される。
  きびしい寒さで、**水道管**がはれつした。

いみ ❶ふえ●管楽器・管弦楽・金管・木管楽器　❷くだ・ほそながいつつ●円管・気管・血管・試験管・水道管・鉄管　❸つかさどる・とりしまる●管制・管内・管理・所管・保管

なりたち

 → 竹
竹の葉の形で、竹のこと。

 → 官
役所のたてものの形。

と　で　管

役人が、きまったやりかたで仕事をするように、きまったやりかたで音をだす竹の楽器ということで〈ふえ〉をあらわし、また、ふえのような形をした〈くだ〉の意味にもなった。

となえかた

管	ケをふたつ（たけかんむり）
管	ウかんむりに
管	たてぼうかいて
管	コ　コとかく

きを　つけよう　管と似ている字…菅

生(うまれる)の部・11画
☐その他型／丶(てん)

くん うむ　学校で飼っているニワトリが、卵を産む。
　　うまれる　ネコの子が産まれるのを、はじめてみた。
　　(うぶ)　赤ちゃんが、元気な産声をあげた。
おん サン　サケは北海道の名産だ。
　　　　国産の野菜を使ったジュース。
　　　　祖父は、遺産を全額慈善団体に寄付してなくなった。

いみ ❶**うまれる・うむ**●産声・産湯・産婦人科・安産・出産　❷**うみだす・ものをつくりだす**●産額・産業・産出・産地・産物・海産物・国産・生産・名産・土産　❸**ざいさん**●遺産・財産・資産・倒産
●**特別な読み**…(土産)

なりたち

文→产→産

文様のように地層がはっきりみえるがけと、「生」をあわせた形。

がけの地層にふくまれる鉱物からさまざまなものがうまれることで〈**うまれる・ものをつくりだす**〉という意味をあらわす。

となえかた

産	てん ー
産	ソ ーで
産	ノをつけて
産	ノ ーの たてで
産	よこ2本

つかいわけ　メダカが卵を産む。大きな利益を生む。

禾(のぎへん)の部・14画
左右型／ノ(ななめぼう)

くん たね　庭にアサガオの**種**をまく。
　　　　　出し物の手品が**種切れ**になった。

おん シュ　ヒマワリの**種子**をとって、ふくろにいれる。
　　　　　雑種犬は、じょうぶで育てやすいといわれる。

いみ ❶たね・ものごとのもと●種油・種馬・種切れ・種本・菜種・種子
　　　　❷なかま・たぐい●種族・種別・種目・種類・機種・雑種・新種・人種・品種・変種

なりたち

いねのほがたれている形。→ 禾

荷物をかさねた形で、かさねること。→ 重

禾 と 重 で 種

かりとったいねを、つぎの年にまくたねをとるために、かさねてつんでおいたことから〈たね・ものごとのもと〉の意味になった。

となえかた

種　ノ　木とかき（のぎへんに）
種　ノ　一に
種　日
種　たてぼうひいたら
種　よこ2本

126ページへ

クイズ　□は楽の種　□に入る漢字は？　①音　②苦　③美

禾(のぎへん)の部・16画
左右型／ノ(ななめぼう)

くん つむ　旅行の荷物を、車のトランクに**積**む。
　　　つもる　庭に雪が、うっすら**積**もる。
おん セキ　ことしの冬は、平年にくらべて**積**雪量が多い。
　　　　　　円の**面積**は、半径×半径×3.14でもとめる。

いみ ❶つむ・つもる●積み木・積み荷・積雪・積年・山積・蓄積・累積
❷ひろさ・大きさ●体積・面積・容積　❸二つ以上の数をかけあわせたもの●積

なりたち

いねのほがたれている形。

とげのあるえだと貝の形。
かした金をかえせと、
せめて苦しめること。

むかし、農民をせめて苦しめ、ねんぐ米をとりたてて、役所のくらにつんだところから〈つむ〉の意味をあらわした。

となえかた

積　ノ 禾とかき
　　（のぎへんに）

積　よこ　たて
　　よこ　よこ

積　貝をかく

きを つけよう　積と似ている字…績

香(かおり)の部・9画
上下型／ノ(ななめぼう)

くん か　　海のほうから、かすかに潮の香がただよってくる。
　　　　　　香川県のこんぴらさんにお参りした。
　　　かおり　庭中に、梅のよい香りがする。
　　　かおる　ほんのりと、ゆずが香るドレッシング。
おん （コウ）　線香に火を付けて、仏だんに供える。
　　　（キョウ）対戦相手の香車のこまを取る。

いみ かおり・よいにおい・よいにおいのするもの ● 梅の香・香気・香辛料・香水・香草・香道・香の物・香木・香味・香油・香料・香炉・線香・芳香

なりたち

いねのほがたれている形。

と

口に何かが入っている形。

で

香

こくもつを口に入れたときの、あまくよいかおりのことで〈かおり〉の意味をあらわした。

となえかた

香　ノ
香　禾をかいたら
香　したに日をかく

きを つけよう　香の「禾」を「木」としない。

人(ひと)の部・10画
上下型／ノ(ななめぼう)

くん くら　いなかの祖父母の家には、穀物をしまっておく倉がある。
おん ソウ　貨物船の船倉に、大量の石炭をつみこむ。
　　　新潟県は、日本の穀倉地帯だ。
　　　運河ぞいに、レンガづくりの古い倉庫が立ち並ぶ。
　　　東大寺の正倉院には、天平時代の宝物がおさめられている。

いみ くら・ものを入れておくところ　●倉庫・穀倉・船倉(船倉)

なりたち

米やむぎなど、こくもつを入れて
しまっておくたてものの形から、
〈くら〉の意味をあらわす。

となえかた

倉	ひとやねに
倉	よこぼう
倉	ヨをかき
倉	ノに
倉	口つける

きを つけよう　倉の「口」を「日」としない。

門(もんがまえ)の部・14画
□ その他型／│(たてぼう)

くん せき　箱根の関所を見学する。
　　　　　　白河の関は、奥羽三関のひとつだ。
　　 かかわる　かぜはこじらせると、命に関わることもある。
おん カン　日本の昭和三十年代の、交通機関の発達はめざましい。
　　　　　　ピアノの発表会の関係者が集まった。

いみ ❶せきしょ・でいりぐち ● 関所・関税・関東・関門・玄関・税関
❷しかけ・からくり ● 関節・機関　❸かかわる・たずさわる ● 関係・関心・関知・関白・関与・関連・相関

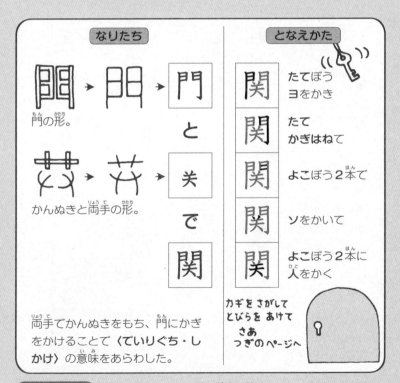

なりたち

門の形。
かんぬきと両手の形。
門 と 关 で 関

両手でかんぬきをもち、門にかぎをかけることで〈でいりぐち・しかけ〉の意味をあらわした。

となえかた

関　たてぼう ヨをかき
関　たて かぎはねて
関　よこぼう2本で
関　ソをかいて
関　よこぼう2本に人をかく

カギをさがして
とびらを あけて
さあ
つぎのページへ

つかいわけ　美術に関心がある。彼の勇気に感心する。

宀(うかんむり)の部・8画
上下型／丶(てん)

くん ―
おん カン　官庁街にビルが立ち並ぶ。
交通違反を警察官がとりしまる。
目は、ものをみるはたらきをする器官だ。

いみ ❶役人・役所・おおやけ● 官舎・官製・官庁・官報・官民・官吏・官僚・外交官・警察官・裁判官・長官　❷いろいろなはたらきをするぶぶん● 官能・器官・五官

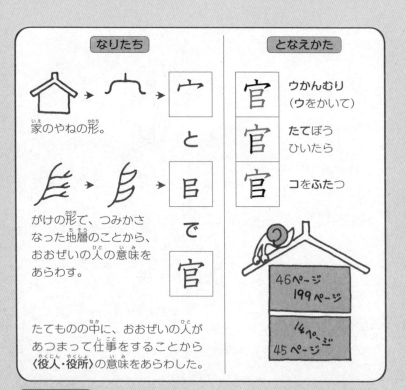

きを つけよう　官と似ている字…宮

宀（うかんむり）の部・10画
上下型／丶（てん）

くん ——
おん ガイ　水害で、畑の作物がだめになった。
　　　たばこは健康を害する。
　　　害虫や益虫というのは、人間が勝手に決めたことだ。

いみ わざわい・そこなう・じゃまする ● 害悪・害虫・害鳥・害毒・加害・干害・危害・公害・災害・殺害・水害・損害・迫害・被害・風水害・妨害・利害・冷害

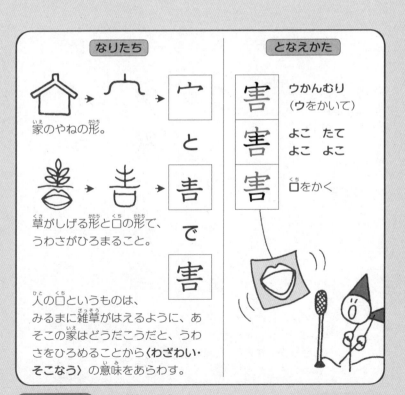

なりたち

家のやねの形。

草がしげる形と口の形で、うわさがひろまること。

人の口というものは、みるまに雑草がはえるように、あそこの家はどうだこうだと、うわさをひろめることから〈わざわい・そこなう〉の意味をあらわす。

となえかた

ウかんむり
（ウをかいて）

よこ　たて
よこ　よこ

口をかく

さんこう　害の反対の意味の字…利・益

宀(うかんむり)の部・14画
上下型／丶(てん)

くん ──
おん サツ　春の野山で、昆虫を**観察**する。
高熱がでて、病院で**診察**をうける。
警察官は、人人を危険から守り、地域の平和をはかる。

いみ ❶**あきらかにする・よくみる・しらべる**● 観察・警察・検察・考察・査察・視察・巡察・診察・偵察　❷**おしはかる**● 察知・推察・明察

なりたち

家のやねの形。

肉と手と台の形で、神におそなえをすること。

宀 と 祭 で 察

家の中に神をまつり、おそなえをして、神におうかがいをたてることから〈**あきらかにする・おしはかる**〉という意味をあらわす。

となえかた

察　ウかんむり（ウをかいて）
察　夕にてんつけて
察　フをかいて
察　右にはらって
察　示すかく

30ページへ行っててつだいなさい

きを つけよう　察の「タ」を「夕」としない。

宀(うかんむり)の部・7画
上下型／丶(てん)

くん ―
おん カン

空は**完**全に晴れあがって、雲ひとつない。
近所の道路工事が**完**了した。
夏休みの課題の工作が**完**成した。

いみ
❶ **すっかり・そろっている** ● 完勝・完全・完納・完敗・完備・完璧
❷ **おわる・なしとげる** ● 完結・完工・完遂・完成・完投・完訳・完了・未完

なりたち

宀 → 完 → 完

家の中に、上にたつ人がいる形(二は上の意味)。

上にたつ人は、りっぱだということで〈すっかり・そろっている〉の意味をあらわした。

となえかた

完　ウかんむり
　　(ウをかいて)

完　よこぼう2本

完　ひとあしつける

きを つけよう　完の「宀」を「冖」としない。

宀(うかんむり)の部・12画
上下型／丶(てん)

くん とむ　中国は、さまざまな地下資源に**富**む。
　　　とみ　コンピューター関連の事業で、巨万の**富**をえる。
おん フ　　**豊富**な品ぞろえで評判の店。
　　　　　　貧富の差がはげしい国。
　　（フウ）その上品なむすめは、**富貴**な家に生まれた。

いみ とむ・とみ・おおくなる ● 富貴(富貴)・富家(富家)・富強・富豪・富者・富有・富裕・富力・巨富・国富・貧富・豊富
● **特別な読み**…〈都道府県〉富山
● **読み方に注意**…「富貴」は、「ふっき」とも読む。

なりたち

家のやねの形。→ 宀

くらに、こくもつがいっぱいつまり、入り口がふさがっている形。→ 畐

家のくらに、物がたくさんつまっていることから〈とむ・とみ・おおくなる〉の意味をあらわした。

となえかた

富　ウかんむり（ウをかいて）
富　一
富　口かいて
富　田をしたに

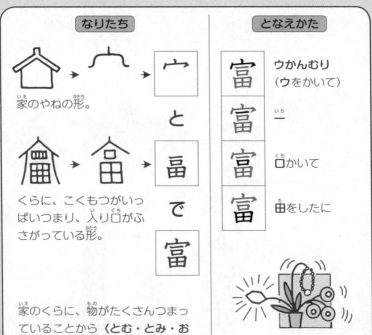

さんこう　富の反対の意味の字…貧

广(まだれ)の部・8画
その他型／ヽ(てん)

くん そこ　橋の上から、池の**底**がよくみえる。
　　　　姉の心の**底**は、よくわからない。
　　　　去年の大みそかは、**底冷え**のする寒さとなった。
おん テイ　**海底**トンネルの工事には、とても長い年月がかかった。
　　　　立方体の体積は、**底面積**に高さをかけてもとめる。

いみ そこ・もののいちばん下 ● 底力・底抜け・底冷え・川底・谷底・船底・底辺・底本・底面・底面積・海底・根底・水底(水底)・地底

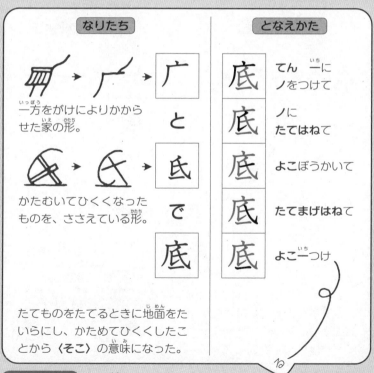

なりたち

一方をがけによりかからせた家の形。

かたむいてひくくなったものを、ささえている形。

广 と 氐 で 底

たてものをたてるときに地面をたいらにし、かためてひくくしたことから〈そこ〉の意味になった。

となえかた

てん　一に
ノをつけて

ノに
たてはねて

よこぼうかいて

たてまげはねて

よこ一つけ

きを　つけよう　底の下の「一」をわすれずに書く。

广(まだれ)の部・8画
□その他型／丶(てん)

くん ——
おん フ　引っ越してくる前は、**京都府**に住んでいた。
日本には、一都一道**二府**四十三県がある。

いみ ❶**役所**●府庁・行政府・国府・政府・内閣府・幕府・立法府　❷**ふ・地方公共団体の一つ**●府知事・府民・府立　❸**中心になるところ**●学府・首府

なりたち	となえかた
一方をがけによりかからせた家の形。→ 广 人と右手の形で、ぴったりとくっつくこと。→ 付 广と付で府 むかし、役所のくらには、たいせつな文書をすきまなく、ぴったりとくっつけて入れておいたことから〈役所〉の意味をあらわした。	府　てん　一 府　ノをつけ 府　イに 府　よこ　たてはね　チョン

クイズ　「府」のつく**都道府県**は何府と何府？

广(まだれ)の部・11画
□ その他型／丶(てん)

くん ―
おん コウ

早寝早起きの習慣は、**健康**なからだをつくる。
明日は**健康診断**があるので、早めにねる。
健康的な生活を送るために、しっかり睡眠をとる。
たおれて入院したおばは、**小康状態**をたもっているらしい。

いみ からだがじょうぶ・けんこう ● 康健・安康・健康・小康

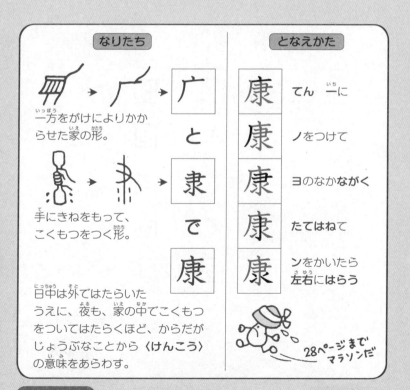

きを つけよう 康の「广」を「厂」としない。

口(くにがまえ)の部・8画
その他型／丨(たてぼう)

くん かためる　足で土をふんで固める。
　　　　　　　　外野の守備をしっかり固める。
　　　かたまる　みかんのかんづめと寒天でつくったゼリーが固まる。
　　　かたい　　チームの守りは、鉄より固い。固い約束をかわす。
おん コ　　　　固形石けんと液体石けん。
　　　　　　　　能楽は、日本固有の芸術だ。

いみ ❶かたい・かたく●足固め・地固め・固形・固体・固定・強固・堅固・固唾　❷かたくまもる●固持・固辞・固執(固執)・固守・確固・頑固・断固　❸もとから●固有
●特別な読み…(固唾)

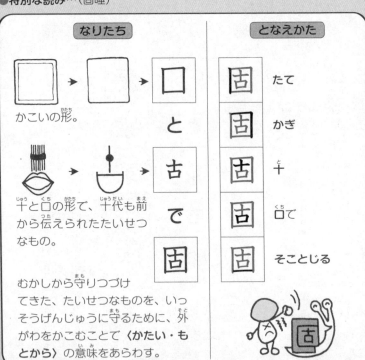

なりたち	となえかた

かこいの形。

十と口の形で、十代も前から伝えられたたいせつなもの。

むかしから守りつづけてきた、たいせつなものを、いっそうげんじゅうに守るために、外がわをかこむことで〈かたい・もとから〉の意味をあらわす。

たて
かぎ
十
口で
そことじる

クイズ　雨降って□固まる　□に入るのは？　①血　②地　③池

日(ひ)の部・9画
左右型／｜(たてぼう)

くん ──
おん サク

昨日の誕生パーティーは、とても楽しかった。
昨夜の大雨もやんで、うそのように空が晴れあがった。

いみ きのう・ひとまわり前の ● 昨月・昨日(昨日)・昨週・昨春・昨朝・昨年・昨晩・昨夢・昨夜・昨今・一昨日
● **特別な読み**…昨日

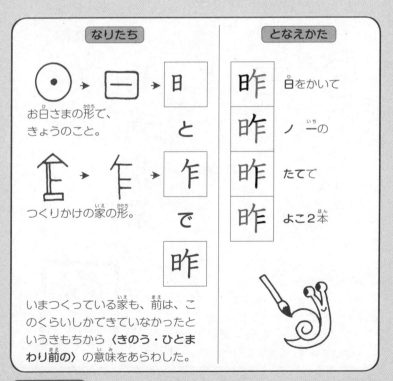

なりたち

お日さまの形で、きょうのこと。
⊙ → 一 → 日

つくりかけの家の形。

と

で

昨

いまつくっている家も、前は、このくらいしかできていなかったというきもちから **〈きのう・ひとまわり前の〉** の意味をあらわした。

となえかた

昨 日をかいて
昨 ノ 一の
昨 たてで
昨 よこ2本

クイズ 7月20日の一昨昨日は7月何日？

日(ひ)の部・12画
上下型／1(たてぼう)

くん ――
おん ケイ

雪山の**風景**は美しい。
縁日の輪投げで**景品**をもらう。
食品業界は、近ごろ**景気**がいいらしい。

いみ
❶けしき・ようす・ありさま● 景観・景気・景勝・遠景・佳景・近景・光景・情景・絶景・全景・点景・背景・風景・夜景・景色
❷そえる● 景品・景物
●**特別な読み**…景色

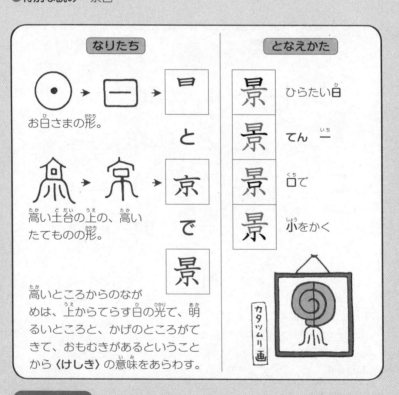

なりたち

お日さまの形。 ⊙ → ― → 日

高い土台の上の、高いたてものの形。 → → 京

日 と 京 で 景

高いところからのながめは、上からてらす日の光で、明るいところと、かげのところができて、おもむきがあるということから〈けしき〉の意味をあらわす。

となえかた

景　ひらたい日
景　てん一
景　口で
景　小をかく

カタツムリ画

150　**きを つけよう**　景の「日」を「口」としない。

白(しろ)の部・8画
左右型／ノ(ななめぼう)

くん まと　新製品の自転車は、みんなのあこがれの**的**だ。
　　　　　　的外れな答えを書いて、先生に注意された。

おん テキ　**的**確に使い方を説明をする。
　　　　　　目**的**地には、あと三十分でつく。

いみ ❶あきらか・たしか●的確・的証・的然　❷まと・めあて●的外れ・的中・金的・射的・標的・目的　❸〜のような・いかにも〜らしい●科学的・合理的・詩的・知的・美的・病的・野性的

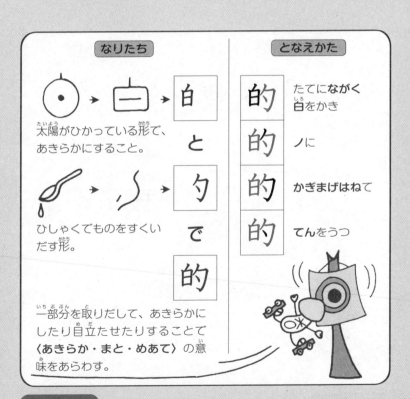

なりたち

太陽がひかっている形で、あきらかにすること。

ひしゃくでものをすくいだす形。

と

で

的

一部分を取りだして、あきらかにしたり目立たせたりすることで〈あきらか・まと・めあて〉の意味をあらわす。

となえかた

的　たてにながく白をかき

的　ノに

的　かぎまげはねて

的　てんをうつ

きを　つけよう　的の「勺」を「匂」としない。

151

月(つき)の部・11画
上下型／丶(てん)

くん のぞむ　兄の高校合格を、心から**望**む。
　　　　　　富士山を**望**む高いビルの屋上。
おん ボウ　　**望**遠鏡で夜空の星をみる。
　　　　　　ぼくの希**望**が、やっとかなった。
　　（モウ）　試合には負けたが、対戦できて本**望**だ。

いみ ❶とおくをみる●**望**遠鏡・**望**楼・展**望**台　❷ねがう・のぞみ●**望**外・**望**郷・願**望**・希**望**・失**望**・志**望**・絶**望**・待**望**・熱**望**・本**望**・野**望**・欲**望**　❸にんき●人**望**・声**望**

なりたち

目玉と月と人の形。

人が大きく目をあけて、月をながめている形から〈とおくをみる〉の意味になった。

となえかた

望	てん　一に たてまげて
望	月を右に かたむけて
望	よこ　たて よこ　よこ 王をかく

てんいちに　たてまげて　月を右に　かたむけて

つかいわけ　丘の上から町並みを**望**む。成人式に**臨**む。

水(みず)の部・14画
左右型／丶(てん)

くん ――
おん ギョ　おばあちゃんは、長崎県の**漁**村の出身だ。
　　　リョウ　会社をやめて**漁**師になる。
　　　　　　港は大**漁**で、活気づいている。

いみ りょう・魚をとる ● 漁業・漁具・漁港・漁場・漁船・漁村・漁夫・漁民・漁師・禁漁・出漁・大漁・不漁

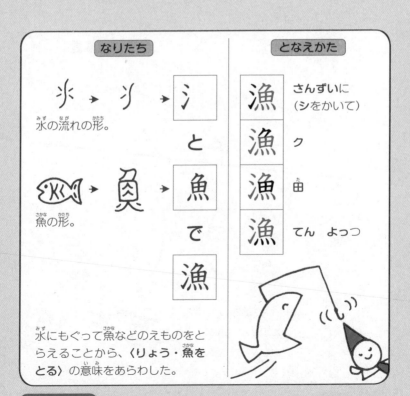

なりたち

氷 → シ → ⺡
水の流れの形。

と

🐟 → 魚 → 魚
魚の形。

で

漁

水にもぐって魚などのえものをとらえることから、〈りょう・魚をとる〉の意味をあらわした。

となえかた

漁　さんずいに（シをかいて）
漁　ク
漁　田
漁　てん よっつ

きを つけよう　漁の「ク」を「マ」としない。

水(みず)の部・8画
左右型／丶(てん)

くん おさめる 秀吉の意向で、家康は関東の広大な領地を治めた。
　　　おさまる 薬をのんで、いたみが治まる。
　　　なおる 長年の病気が、ようやく治る。
　　　なおす じゅうぶんに睡眠をとって、かぜを治す。
おん ジ 政治は国民のためにある。
　　　チ ぶつかって、たおれた選手は、全治二週間のけがをした。

いみ ❶**おさめる・おさまる・しずめる**●治安・治下・治産・治水・治世・自治会・政治・退治・統治 ❷**びょうきをなおす**●治療・根治(根治)・全治(全治)・湯治・不治(不治)

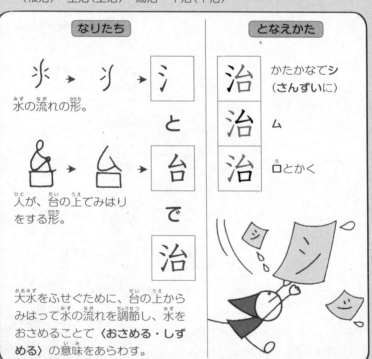

なりたち

氷 → 氵 → 氵
水の流れの形。

と

人が、台の上でみはりをする形。 → 台 → 台

で

治

大水をふせぐために、台の上からみはって水の流れを調節し、水をおさめることで〈おさめる・しずめる〉の意味をあらわす。

となえかた

治　かたかなでシ（さんずいに）
治　ム
治　口とかく

つかいわけ 足の傷を治す。テレビの故障を直す。

水(みず)の部・8画
左右型／ヽ(てん)

- くん ——
- おん ホウ　自然の**法則**にはさからえない。
  　　　　新しい**学習方法**をとり入れる。
- （ハッ）　うそをつくことは、わが家では**ご法度**だ。
- （ホッ）　**法華宗**は、仏教の数ある宗派のうちのひとつだ。

いみ ❶**おきて・きまり・てほん**●法度・法案・法外・法規・法式・法則・法廷・法定・法律・法令・司法　❷**やりかた・しかた・しきたり**●加法・作法・方法　❸**仏教のおしえ**●法師・法事・法要・法華・仏法

なりたち

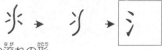
水の流れの形。

うつわとふたの形で、とりさること。

と

で

法

大むかし、罪人を海になげ入れて、「悪をとりさった」ことから、守らなければならない〈**おきて・きまり**〉の意味をあらわした。

となえかた

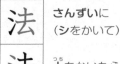

さんずいに
（シをかいて）

土をかいたら

ムをつける

きを つけよう　法の「土」を「士」としない。

水（みず）の部・9画
左右型／丶（てん）

くん あさい　このプールは浅い。
　　　　遠浅の海で、海水浴を楽しむ。
　　　　雪がとけると、山はさわやかな浅い緑色におおわれる。
おん （セン）　自然に対する興味の深浅は、人によってさまざまだ。

いみ ❶**あさい・あさはか**●浅瀬・浅はか・遠浅・浅海・浅学・浅見・浅才・浅薄・深浅　❷**いろがうすい**●浅黄・浅緑

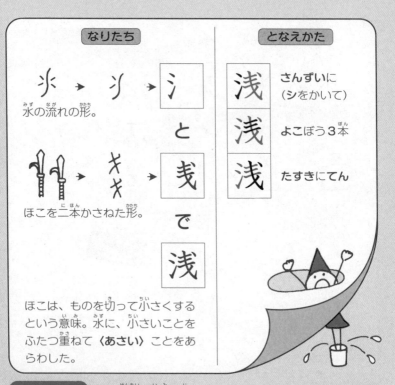

なりたち

水の流れの形。

ほこを二本かさねた形。

氵と戔で浅

ほこは、ものを切って小さくするという意味。水に、小さいことをふたつ重ねて〈あさい〉ことをあらわした。

となえかた

さんずいに
（シをかいて）

よこぼう3本

たすきにてん

さんこう　浅の反対の意味の字…深

水(みず)の部・11画
左右型／ヽ(てん)

くん きよい　小川の**清**い流れに、春の日ざしがきらめく。
　　　　きよまる　初日の出をみて、心が**清**まる思いだ。
　　　　きよめる　神社を参拝する前に、水で手を**清**める。

おん セイ　　**清潔**な白いハンカチは、気持ちがよい。
　　　（ショウ）　「**六根清浄**、お山は晴天」ととなえながら、山を登る。

いみ ❶きよい・きよらか ● 清栄・清音・清潔・清算・清酒・清秋・清純・清書・清浄(清浄)・清新・清泉・清掃・清風・清流・清水　❷「シン」と読んで、むかしの中国の王朝の一つ ● 清朝・日清戦争
● 特別な読み…清水

なりたち

水の流れの形。

草といどの形で、青くすきとおっていること。

と　青　で　清

青あおとしげる草のように、青くすんだ水のきれいさのことから〈きよい〉の意味をあらわした。

となえかた

清　さんずいに
　　（シをかいて）

清　よこ　たて
　　よこ　よこ

清　月をかく

つかいわけ　借金を**清算**する。乗り越し運賃を**精算**する。

水(みず)の部・10画
左右型／丶(てん)

くん あびる　川遊びのあとは、シャワーを浴びる。
　　　　　　　よけいなことを言って、非難を浴びる。
　　　あびせる　新聞記者が、映画の出演者に質問を浴びせる。
おん ヨク　　入浴のときには、浴用石けんとタオルを使う。

いみ からだをあらう・みず、ゆ、ひかりをあびる ● 水浴び・浴室・浴場・浴槽・浴用・浴客(浴客)・温浴・海水浴・水浴・日光浴・入浴・冷水浴・浴衣
● 特別な読み…(浴衣)

(なりたち)

氺 → 氵 → 氵
水の流れの形。

谷 → 谷 → 谷
山と山のあいだの低いところにある、水の出口の形。

氵 と 谷 で 浴

むかしは、谷間を流れる水で身をあらいきよめていたことから〈あびる〉の意味をあらわした。

(となえかた)

浴　さんずいに
　　(シをかいて)

浴　ハに

浴　ひとやねで

浴　口をかく

きを つけよう　「浴びる」は「浴る」としない。

水（みず）の部・12画
左右型／丶（てん）

くん みちる　花の香りが部屋に満ちる。
　　　　　しあわせに満ちた顔をしている。
　　　　　だんだんと潮が満ちる。
　　　みたす　プールに水を満たす。
　　　　　条件を満たす回答をもらった。
おん マン　満天にかがやく星をみる。
　　　　　カレーを食べて満腹になった。

いみ いっぱいになる・みちる・ゆきわたる●満ち潮・満ち干・満員・満開・満期・満喫・満月・満場・満足・満潮・満天・満点・満腹・満面・満了・円満・干満・自信満満・肥満・不満・豊年満作・未満

なりたち

氷 → 氵 → シ
水の流れの形。

と

茜 → 茜 → 茜
お酒を入れたいれものの形。

で

満

いれものにお酒がいっぱいに入っていることから〈いっぱいになる・みちる〉の意味をあらわす。

となえかた

満　さんずいに（シをかいて）

満　よこ　たて
　　たて　よこ

満　たて
　　かぎはねて

満　たてぼう
　　つきぬけ
　　山をかく

クイズ　□色満面　□に入る漢字は？　①暮　②気　③喜

水(みず)の部・8画
左右型／丶(てん)

くん なく
人前で大声をあげて泣くのは、かっこ悪いと思う。
負けたのがくやしくて、つい泣き言をいってしまった。
泣き虫だった、幼いころを思いだす。

おん (キュウ)
母は祖母の死の知らせをきき、号泣した。

いみ なみだをながしてなげく・なく ● 泣き顔・泣き声・泣き言・泣きっ面・泣き虫・泣き別れ・泣き笑い・男泣き・泣訴・感泣・号泣

クイズ　泣きっ面に □　□に入る生物は？

水(みず)の部・7画
左右型／ヽ(てん)

くん おき
- 海づりの船に乗って、沖のほうまでいく。
- 沖合いから、そよ風がふいてきて、気持ちいい。
- 沖縄県のサンゴ礁の海に、はじめてもぐる。

おん (チュウ)
- 河口の沖積平野では、ナシの栽培がさかんだ。

いみ おき(海や湖などで、岸から遠くはなれたところ) ●沖合い・沖釣り・沖積・沖天

なりたち

水の流れの形。

と

こまのまんなかを、しんぼうがとおっている形。

で

海のまんなかということで、岸からはなれた〈おき〉のことをあらわした。

となえかた

沖	さんずいに(シをかいて)
沖	たて かぎ そこで
沖	まんなか たてぼう

きを つけよう 沖の「中」を「申」としない。

水(みず)の部・15画
左右型／丶(てん)

くん かた　干潟で、サギなどの野鳥を観察する。
新潟県産のおいしいお米を食べる。
八郎潟は、かつては日本第二位の広さの湖だった。

おん ───

いみ かた（潮のみちひによって、底がかくれたりあらわれたりするところ）●干潟

なりたち

氷 → 氵 → シ
水の流れの形。

と

→ 鳥
「かささぎ」という鳥の形。

で

→ 潟

かささぎは、天の川に橋をかけるといわれることから、ものが出たり入ったりすることをあらわし、潮がみちたりひいたりするところをあらわす〈かた〉の意味になった。

となえかた

潟	さんずいに（シをかいて）
潟	ノ たて よこで
潟	かぎを かき
潟	みじかいよこぼう そこをとじ
潟	ノに かぎまげはねて
潟	てん よっつ

きを　つけよう　潟の「臼」を「日」としない。

水(みず)の部・12画
左右型／丶(てん)

くん ——
おん (ジ)　**滋**味豊かな食材で料理をする。
　　　　土用の丑の日には、**滋**養のあるうなぎを食べる。

いみ　❶草木がそだつ　❷うるおう●滋味・滋養
●**特別な読み**…〈都道府県〉滋賀

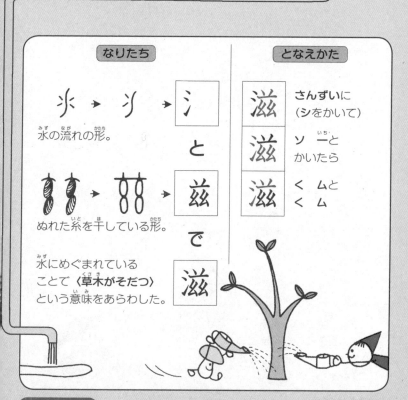

なりたち	となえかた

氷 → 氵 → 氵
水の流れの形。

と

ぬれた糸を干している形。
→ 茲 → 兹

で

水にめぐまれている
ことで〈草木がそだつ〉
という意味をあらわした。

滋　さんずいに
　　（シをかいて）

滋　ソ　一と
　　かいたら

滋　く　ムと
　　く　ム

滋

きを　つけよう　滋の「⺍」を「艹」としない。

冫(にすい)の部・7画
左右型／丶(てん)

くん つめたい　家に帰るなり、**冷**たい水を、ごくごくと飲む。
　　ひえる　冬は足が**冷**える。　　ひや　昼食に**冷**や麦を食べる。
　　ひやす　スイカを**冷**やす。　　ひやかす　新婚のおじを**冷**やかす。
　　さめる　スープが**冷**める。　　さます　氷まくらで熱を**冷**ます。
おん レイ　**冷**蔵庫の中に、ケーキが入っているはずだ。

いみ ❶つめたい・ひえる●冷害・冷気・冷却・冷水・冷蔵庫・冷凍・冷房　❷心がひややかなこと●冷遇・冷血・冷酷・冷笑・冷静・冷淡

なりたち

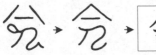

こおりのできはじめの
すじの形。

と

あつまった人にいいつ
けること。

で

君主に命令されて身ぶるいするよ
うに、身ぶるいするほどの氷のつ
めたさのことから〈つめたい〉の
意味をあらわす。

となえかた

 にすいに

 ひとやね

 てんつけ

 マ

さんこう　冷の反対の意味の字…温・暖

山(やま)の部・8画
□その他型／丨(たてぼう)

くん おか
料理を入れて持ち運ぶためのおけを、**岡持ち**という。
夏休みの旅行では、**静岡県**の世界遺産をたずねる。
岡山県の後楽園は、日本三名園のひとつだ。
福岡県には、二つの政令指定都市がある。

おん ―

いみ ❶おか・小高い土地　❷わき・そば・かたわら ● 岡目八目

＊「おか」をあらわす漢字には、ほかに「阜」(169ページ) や「丘」がある。

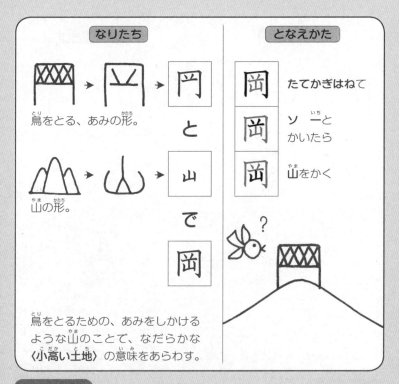

なりたち

鳥をとる、あみの形。

山の形。

网 と 山 で 岡

鳥をとるための、あみをしかけるような山のことで、なだらかな〈小高い土地〉の意味をあらわす。

となえかた

岡　たてかぎはねて

岡　ソ ーと かいたら

岡　山をかく

きを つけよう　岡の「山」を「屮」としない。

山(やま)の部・7画
左右型／l(たてぼう)

くん ——
おん (キ) ぼくは今、人生の大きな**岐路**に立っているのかもしれない。
この先の交差点が、国道から県道に入る**分岐**点になっている。
この総合商社は、**多岐**にわたる事業を展開している。

いみ わかれる・わかれみち ●岐路・多岐・分岐
●**特別な読み**…〈都道府県〉岐阜

なりたち

山の形。

手に持った竹が左右に分かれる形。

山 と 支 で 岐

山のみねが分かれているところで〈わかれみち〉の意味をあらわす。

となえかた

岐 やまへんに
岐 よこ たて かいて
岐 又を かく

きを つけよう 岐の「支」を「交」としない。

山(やま)の部・11画
左右型／｜(たてぼう)

くん さき
長崎県には、大小六百以上の島がある。
宮崎県でマンゴーを食べる。
神奈川県の川崎市は、政令指定都市のひとつだ。
三浦半島の観音崎には、日本最初の洋式灯台がある。

おん ──

いみ さき（海や湖に陸地がつきてたところ）・みさき

＊「崎」と「埼」（177ページ）は、どちらも「みさき」のこと。

きを つけよう　崎と似ている字…埼

阝（おおざと）の部・10画
左右型／一（よこぼう）

くん ——
おん グン

二つの**郡**が合併して、新しい市が誕生した。
郡の小学校体育大会は、いよいよ来週から始まる。
郡部には、むかしのなつかしい習慣が、まだ残っている。

いみ ぐん（都道府県の中を、さらに、いくつかに分けた地方の区画）
郡部・北海道空知郡

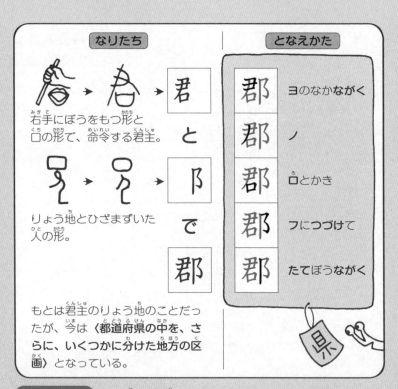

きを つけよう　郡と似ている字…群

阜(おか)の部・8画
上下型／丶(てん)

くん ——
おん フ　岐阜県は、日本の東西の境目に位置している。
　　　　岐阜市を流れる長良川は、鵜飼いで有名だ。

いみ おか・陸地・台地

＊「おか」の意味をあらわす漢字には、ほかに「岡」（165ページ）や「丘」がある。

なりたち

がけのだんそうの形で、つみあげた土のこと。→ 自

ものを集めて、ひとつにまとめた形。→ 十

自 と 十 で 阜

土をたくさん集めて、もりあがったところのことで〈おか〉の意味をあらわした。

となえかた

阜
ノに
たてぼうで

阜
コをふたつ

阜
そしてさいごに
よこ たてぼう

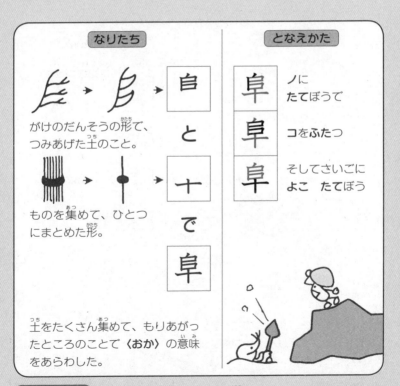

さんこう　　阜は、へんになると「阝」の形になる。

阝(こざとへん)の部・11画
左右型／一(よこぼう)

くん ——
おん リク　大型の台風が、関東地方に**上陸**した。
　　　　わたしは**陸上競技**の選手になって、オリンピックに出たい。
　　　　地球では、海洋にくらべ、**陸地**はずっとせまい。

いみ ❶**りく・おか**●陸運・陸軍・陸上・陸地・陸続き・陸風・陸路・陸橋・上陸・大陸・内陸　❷**つづくようす**●陸続

170　**きを つけよう**　陸の「土」を「士」としない。

阝(こざとへん)の部・12画
左右型／一(よこぼう)

くん ——
おん タイ

小学校の**鼓笛隊**のメンバーに選ばれた。
わたり鳥が**隊列**を組んで飛ぶ。
道のむこうから、白バイの**一隊**がゆっくりと近づいてきた。

いみ ❶あつまり・ならんで一団にまとまったもの ● 隊商・隊列・一隊・横隊・鼓笛隊・縦隊・登山隊・編隊　❷ぐんたい ● 隊長・海兵隊・騎兵隊・軍隊・除隊・戦隊・入隊・部隊・兵隊

なりたち

がけのだんそうの形で、つみかさねた土のこと。

と

豕 で

分けるしるしとぶたの形で、かたまりを分けること。

隊

だんそうのように土のかたまりが分かれることから、おおぜいの人のあつまりを、小さなあつまりに分けた〈一団〉のことをあらわす。

となえかた

隊　フにつづけて

隊　たてぼうながく（こざとへん）

隊　ソ　一に　ノをかき

隊　たてぼうはねて

隊　ノノとつづけて左右にはらう

きを　つけよう　隊の「豕」を「豕」としない。

阝(こざとへん)の部・7画
左右型／一(よこぼう)

くん ——
おん (ハン)　阪神工業地帯の、発展の歴史を調べる。
京阪地区のバス路線を調べる。
行きは名神高速、帰りは名阪国道を利用した。

いみ ❶さか・さかみち　❷「大阪」の略●阪神・京阪
●特別な読み…〈都道府県〉大阪

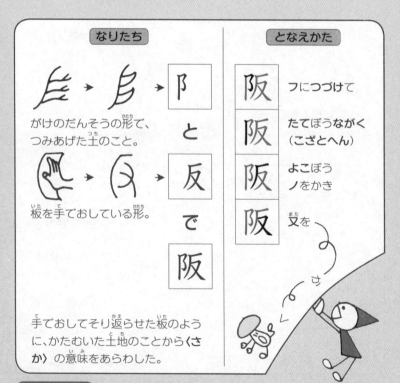

なりたち

がけのだんそうの形で、つみあげた土のこと。

板を手でおしている形。

と 反 で 阪

手でおしてそり返らせた板のように、かたむいた土地のことから〈さか〉の意味をあらわした。

となえかた

阪　フにつづけて

阪　たてぼうながく（こざとへん）

阪　よこぼうノをかき

阪　又を

きを つけよう　阪と似ている字…坂

金(かね)の部・16画
□ 左右型／ノ(ななめぼう)

くん ——
おん ロク

月におこなった、アポロ11号の**記録**映画をテレビでみた。
雑音が入らないようにして、リコーダーの演奏を**録音**する。
雑誌の**付録**に、きらきらと光るシールがついてきた。

いみ ❶かきしるす・かきしるしたもの ● 議事録・記録・再録・採録・実録・住所録・登録・付録・目録・要録 ❷うつす・再生する ● 録音・録画・収録・集録

なりたち

山にこがねがまじっている形で、金のこと。

ちょうこく刀の形と分けるしるしで、けずること。

金 と 录 で 録

金や青銅の表面をけずりとって、文字や絵をきざみつけることから〈かきしるす〉の意味をあらわす。

となえかた

録 ひとやねに よこぼう2本

録 たて ソー (金へんに)

録 ヨのしたながく

録 たてはねて

録 左にンで 右にはく

1.2センチ

きを つけよう 録と似ている字…緑・縁

金（かね）の部・19画
左右型／ノ（ななめぼう）

くん かがみ 　「鏡よ鏡、世界でいちばん美しいのはだれ？」
　　　　　　　子は親の鏡だといわれる。
おん キョウ 　遠くをみるときは、望遠鏡があると便利だ。

いみ ❶かがみ●手鏡・水鏡・鏡台・三面鏡・反射鏡・万華鏡　❷レンズ
●拡大鏡・顕微鏡・潜望鏡・双眼鏡・望遠鏡・眼鏡
●**特別な読み**…眼鏡

なりたち

 → 金 → 金

山にこがねがまじっている形で、金属のこと。

と

 → 竟 → 竟

音と人の足の形で、曲のひと区切り、さかいめのこと。

で

鏡

金属の表面に、もののすがたがうつる。そこは金属と実物のさかいめなので「金」と「竟」とで〈かがみ〉の意味をあらわす。

となえかた

鏡	金へんに（金をかき）
鏡	てん 一 ソ 一
鏡	日に
鏡	ひとのあし

きを つけよう　鏡の「竟」を「意」としない。

土(つち)の部・13画
左右型／一(よこぼう)

くん しお　玄関に、お清めの**塩**をまく。
　　　　かぜをひいたので、**塩**がゆを食べる。
おん エン　食**塩**の主成分は、**塩**化ナトリウムだ。
　　　　塩分がなければ、動物は生きられない。

いみ ❶しお●塩気・塩水(塩水)・塩焼き・塩害・塩田・塩分・岩塩・食塩・食卓塩・製塩　❷塩素のこと●塩化・塩化ナトリウム・塩酸・塩素・塩類

つかいわけ　**塩**をまぶす。**潮**が満ちる。

土（つち）の部・9画
左右型／一（よこぼう）

くん しろ
織田信長は、琵琶湖のほとりの安土山に**城**をきずいた。
祖父の趣味は、日本中の**城**跡をめぐることだ。

おん ジョウ
この町は、かつて**城**下町として栄えた。
京都で二条**城**を見学した。

いみ しろ・とりで ●城跡（城跡）・根城・山城・城郭・城閣・城下町・城市・城主・城内・城門・古城・築城・登城・落城
●特別な読み…〈都道府県〉茨城・宮城

なりたち

地面からめが出た形で、土のこと。

おのの形と、うつわからしるがあふれる形で、できあがること。

→ 土 と 成 で 城

土を一段一段つきかためて、高く積みあげ、できあがったおしろのかべのことから〈しろ・とりで〉の意味になった。

となえかた

城	土へんに（よこ たて もちあげ）
城	ノ
城	よこ
城	かぎはね
城	たすきにてん

きを つけよう　城と似ている字…域

土(つち)の部・11画
左右型／一(よこぼう)

くん さい　埼玉県には数多くの古墳がある。
　　　　埼玉県庁の庁舎は、さいたま市浦和区にある。
　　　　父は毎日、埼京線に乗って通勤している。

おん ―――

いみ さき（海や湖に陸地がつきでたところ）・みさき

＊「埼」と「崎」（167ページ）は、どちらも「みさき」のこと。

きを つけよう　埼と似ている字…崎

火(ひ)の部・6画
左右型／ヽ(てん)

- **くん** (ひ) 夕暮れの街に灯がともる。
- **おん** トウ 秋は「灯火親しむ季節」といわれ、読書に向いている。
母の郷里で灯籠流しをみる。
ぼくは常夜灯がついていないと、ねむれない。

いみ ひ・ともしび・あかり ● 灯火・灯台・灯油・灯籠・街灯・ガス灯・蛍光灯・幻灯・消灯・照明灯・常夜灯・走馬灯・探照灯・点灯・電灯・門灯

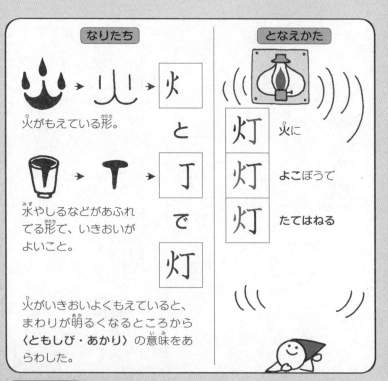

つかいわけ　町に灯がともる。ろうそくの火。

火（ひ）の部・12画
左右型／丶（てん）

くん やく　　鉄板の上で肉を**焼**く。
　　　　　　　オーブンでクッキーを**焼**く。
　　やける　海水浴で、せなかがまっ黒に**焼**けた。
おん （ショウ）　町内の空き家が火事で全**焼**した。
　　　　　　　可燃ごみは**焼**却炉で燃やされる。

いみ ❶**やく・もやす・やける**●焼き付け・焼き鳥・焼き物・焼け石・焼却・焼香・焼死・焼失・延焼・全焼・燃焼・類焼　❷**もえるようにみえる**●朝焼け・白焼け・夕焼け

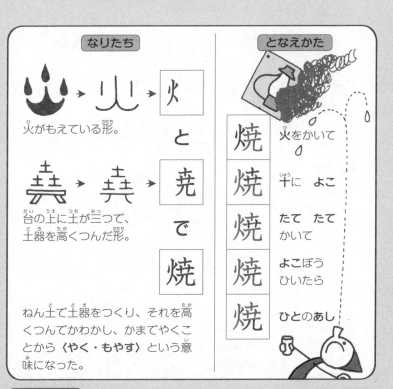

（なりたち）

火がもえている形。

台の上に土が三つで、土器を高くつんだ形。

火　と　尭　で　焼

ねん土で土器をつくり、それを高くつんでかわかし、かまでやくことから〈やく・もやす〉という意味になった。

（となえかた）

焼　火をかいて
焼　十に　よこ
焼　たて　たて　かいて
焼　よこぼう　ひいたら
焼　ひとのあし

クイズ　焼け石に□　□に入るのは？　①水　②油　③湯

火(ひ)の部・12画
上下型／ノ(ななめぼう)

くん ——
おん ゼン　自然というものは、ほんとうにふしぎなものだと思う。
　　　ネン　日本は、天然の美にめぐまれた国土をもっている。

いみ そのとおり・そうなっている・ほかのことばの下について、そのようすをあらわすことば ● 偶然・決然・厳然・公然・雑然・自然・純然・整然・断然・天然・当然・同然・必然・奮然・平然・漫然・未然・歴然

なりたち

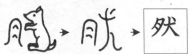

すじのある肉の形と、犬の形。

火がもえている形。

火で、犬の肉をあぶることから「もやす」の意味だったが、「そのとおり」の意味の漢字と音が同じところから、のちに〈そのとおり〉の意味になった。

となえかた

然　夕にてんつけて

然　犬をかき

然　したに
　　チョン　チョン
　　よっつ　てん

「もやす」はもうひとつ、火をつけて「燃」とかく

きを　つけよう　然の「犬」の「ヽ」をわすれずに書く。

火(ひ)の部・13画
上下型／丨(たてぼう)

くん てる　じりじりと照る太陽の下で、セミとりをした。
　　　てらす　懐中電灯で、暗い夜道を照らす。
　　　てれる　あまりほめられると、照れる。
おん ショウ　市民球場に、ナイター用の照明がともった。

いみ ❶てらす・てる・かがやき● 照り返し・日照り・照射・照明・残照・日照・晩照　❷てらしあわせる・つきあわせる● 照応・照会・照合・照準・参照・対照

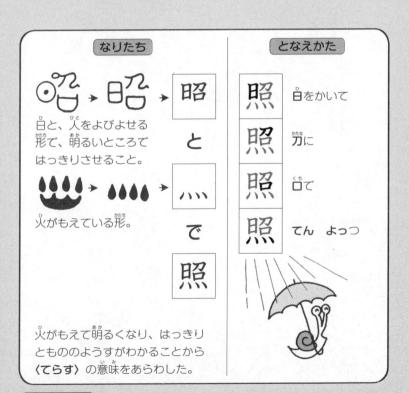

なりたち

日と、人をよびよせる形で、明るいところではっきりさせること。

火がもえている形。

昭 と 灬 で 照

火がもえて明るくなり、はっきりともののようすがわかることから〈てらす〉の意味をあらわした。

となえかた

照　日をかいて
照　刀に
照　口で
照　てん　よっつ

つかいわけ　性格が対照的だ。小学校高学年が対象の本。

火(ひ)の部・15画
上下型／一(よこぼう)

くん あつい　おふろのお湯が**熱**い。
　　　　　ファンの**熱**い心に、選手たちが喜ぶ。
おん ネツ　　フラスコに水を入れて**熱**する。
　　　　　かぜで**発熱**して、欠席する人が多い。

いみ ❶ねつ・あつい・あつくする●熱気・熱帯・熱湯・熱病・熱風・熱量・加熱・過熱・高熱・発熱・微熱・平熱・余熱　❷つよくはげしい・心をうちこむ●熱意・熱演・熱狂・熱血・熱情・熱心・熱戦・熱中・熱弁・熱望・情熱

なりたち

人が農具をつかい、土をたがやしている形。

火がもえている形。

→ 熱

土をよくたがやして、うえた作物がいきおいよくそだつように、火がいきおいよくもえるようすから〈ねつ・あつい〉の意味をあらわす。

となえかた

熱	土　ハをまげて土をかき
熱	ノに
熱	かぎまげはねて
熱	てんをつけたら
熱	よっつ　てん

つかいわけ　**熱**いお茶を飲む。真夏の**暑**い一日。**厚**い友情。

火(ひ)の部・12画
上下型／ノ(ななめぼう)

くん ない　今月はむだづかいをして、お金が**無**い。
　　　　　無くて七くせ、有って四十八くせ。

おん ム　兄は小さいときから、スポーツに**無**関心だ。
　　　ブ　宇宙飛行士たちは、**無**事に地球に帰ってきた。

いみ ない・うちけしのことば ● 無愛想・無遠慮・無作法・無事・無難・無用心・無礼・無意識・無医村・無意味・無益・無害・無学・無関心・無記名・無口・無限・無言・無視・無実・無常・無情・無色・無心・無数・無声・無断・無敵・無念・無名・無用・無欲・無理・無理解・無料・無力

なりたち

家が火事でもえている形。

家が火事でもえてしまい、なにもかもなくなるということから〈ない〉の意味をあらわした。

となえかた

無	ノーと かいて
無	よこぼうながく
無	たてぼう4本 左から
無	よこぼう ひいたら
無	てんよっつ

つかいわけ　財布を**無**くす。祖父を**亡**くす。

十(じゅう)の部・12画
左右型／一(よこぼう)

くん ──
おん ハク　どんなときも、**博**愛の精神で行動する。
　　　　今年の文化発表会は、とくに保護者に好評を**博**した。
　　（バク）馬や牛の売り買いをしている人を、**博**労といった。

いみ ❶ひろくゆきわたる・ひろめる・ひろい●博愛・博学・博士(博士)・博識・博物館・博覧会・博覧強記・万博　❷ひろくあつめる・しめる●博する
●**特別な読み**…博士

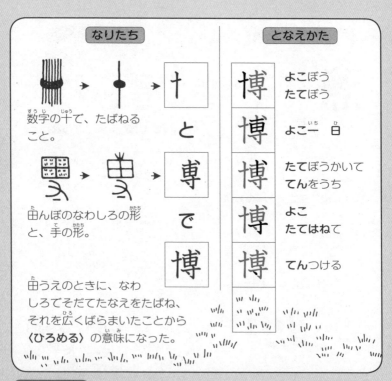

なりたち

数字の十で、たばねること。

→ 十 と

田んぼのなわしろの形と、手の形。

→ 尃 で

田うえのときに、なわしろでそだてたなえをたばね、それを広くばらまいたことから〈ひろめる〉の意味になった。

→ 博

となえかた

博　よこぼう
　　たてぼう
博　よこ一白
博　たてぼうかいててんをうち
博　よこ
　　たてはねて
博　てんつける

きを つけよう　博の右上の「丶」をわすれずに書く。

八(はち)の部・8画
上下型／1(たてぼう)

くん ——
おん テン 「万葉集」は、日本のすぐれた**古典**の和歌集だ。
オリンピックは、世界的なスポーツの**祭典**だ。
ことわざの**出典**を**辞典**で調べる。

いみ ❶ふみ・書物●典拠・典籍・学典・経典・古典・字典・事典・辞典・出典・聖典・仏典・宝典・法典 ❷ぎしき●祭典・式典・祝典 ❸きまり・きそく●典型・特典

なりたち

字が書いてある竹の札をとじたものと、それをのせる台の形。

紙がつくられる前には、書物や文書は木や竹の札に書かれていた。その形から〈書物・ぎしき〉の意味をあらわした。

となえかた

典 たて かぎ
典 たて たて
典 よこいれて
典 よこぼうながく
典 ハをつける

つかいわけ 漢字**字典**。百科**事典**。地名**辞典**。

口（くち）の部・15画

□その他型／｜（たてぼう）

くん（うつわ）　デザートの果物を**器**にもる。
ぼくは委員長の**器**じゃない。

おん キ　理科実験の**器**具を、机の上にそろえる。
兄は、こまかい線で絵を**器**用にかく。

いみ ❶うつわ・いれもの●器物・食器・茶器・陶器・土器・容器　❷どうぐ●器具・器材・楽器・武器　❸すぐれた心のはたらき●器用・器量・才器・大器　❹生物が生きていくためのはたらきをするもの●器官・呼吸器

なりたち

人のまわりに食べ物のうつわが、たくさんある形。

食べ物を入れる〈うつわ〉のことをあらわす。

となえかた

器　口 ふたつ

器　大をかいたら

器　口 ふたつ

クイズ　大器晩□　□に入る漢字は？　①生　②世　③成

示(しめす)の部・11画
上下型／一(よこぼう)

くん ——
おん ヒョウ

父と母は、小学校に**投票**にでかけた。
市長選挙の**開票速報**をテレビでみる。
ボールペンで、宅配便の**伝票**に記入する。

いみ ふだ・きっぷ ● 票決・票数・票田・開票・調査票・伝票・投票・得票・白票

なりたち

神をまつる台と、おふだの入った箱の形。

箱に、神からいただくまよけのおふだが入っていることから、〈ふだ・きっぷ〉の意味になった。

となえかた

票	よこ たて かぎて
票	たて2本
票	よこ一 そことじ
票	示すかく

きを つけよう 票の「覀」を「西」としない。

大(だい)の部・8画
上下型／一(よこぼう)

くん ―

おん ナ　奈落の底につきおとされた気分だ。
　　　　奈良県には、多くの古いお寺や仏像がある。
　　　　神**奈**川県は、日本で二番目に人口が多い。
　　　　天平文化は、**奈良**時代にさかえた仏教文化だ。

いみ ❶カラナシ（リンゴの一種）　❷どうして・なぜ

なりたち

木が変化した形。

神をまつる祭だんの形。

大と示で奈

神にそなえる木の実〈カラナシ〉のこと。「どうして」「なぜ」という意味の漢字と音が同じところから〈なぜ〉の意味もあらわした。

となえかた

奈　ひらたい　大に
奈　よこ　よこ
奈　たてはね
奈　チョン　チョン　つける

きを つけよう　奈の「示」を「示」としない。

示(しめす)の部・9画
□ 左右型／丶(てん)

くん いわう　祖母の誕生日を家族で**祝**う。
　　　　　　姉の**卒業祝い**のパーティーを開く。
おん シュク　いとこの中学合格の**祝賀会**に出席する。
　　　　　　王子は国民に**祝福**されて結婚した。
　（シュウ）結婚式の出席者に**祝儀**をくばるのを手伝った。

いみ 神にこれからのことをいのる・いわう・いわい ●内祝い・入学祝い・前祝い・祝儀・祝賀・祝祭日・祝辞・祝日・祝典・祝電・祝杯・祝福・慶祝・祝詞
●特別な読み…(祝詞)

なりたち

神をまつる祭だんの形。

と

口の形と、ひざまずく人の形。

で

祝

祭だんの前で、「のりと（神にいのることば）」をとなえる神主のことから〈いわう〉の意味をあらわす。

となえかた

祝	てん フに
祝	トをかき（しめすへん）
祝	口に
祝	ひとのあし

あなたの
おたんじょう日を
かいてね

きを つけよう　祝の「ネ」を「ネ」としない。

斗(とます)の部・10画
左右型／丶(てん)

くん ——
おん リョウ　紙の**原料**は、木からつくるパルプだ。
　　　　　自転車を**無料**の駐輪場にとめる。
　　　　　自由研究の**資料**を集める。

いみ ❶**はかる**●料簡　❷**もとになるもの・たね**●料理・衣料・飲料・原料・香料・材料・食料・資料・調味料・燃料・肥料　❸**はらうおかね**●料金・給料・借料・宿料・使用料・席料・送料・損料・入場料・無料・有料

なりたち	となえかた

いなほのたれている形で、米のこと。

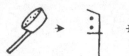

えのついたひしゃくの形で、ますのこと。

と　で　料

料	米へんに
料	てん　てん　ふたつで
料	よこ
料	たてぼう

こくもつの分量をはかる、ますのことから〈**はかる・もとになるもの**〉の意味をあらわした。

きを　つけよう　料と似ている字…科

艮(ねづくり)の部・7画
□その他型／丶(てん)

- **くん** よい　　まどからのけしきが良い。
　　　　　　　湯かげんが、ちょうど良い。
- **おん** リョウ　犬のジョンの健康状態は良好だ。
　　　　　　　良薬は口に苦し。
　　　　　　　紙飛行機のつばさを改良した。
　　　　　　　良質のたんぱく質をとる。

いみ よい・すぐれている ● 良縁・良家・良好・良港・良妻・良識・良質・良書・良心・良否・良薬・良友・改良・最良・選良・善良・不良
● 特別な読み…〈野良〉・〈都道府県〉奈良

なりたち

ますの形と、入れたり出したりすることをあらわすしるし。

もとは、こくもつなどを〈ますではかる〉ことだったが、はかった分量が、正確だったというところから〈よい〉の意味になった。

となえかた

良	てんをうって
良	ヨをかいて
良	たてぼうはねたら
良	左右にはらう

つかいわけ　品質が良い。世のためになる善いおこない。

里(さと)の部・12画
上下型／丨(たてぼう)

くん はかる　身体測定で体重を**量る**。
　　　　　相手の気持ちを推し**量る**。
おん リョウ　図書係の仕事の**分量**をへらす。
　　　　　ぼくらのチームのコーチは、**度量**の広い人だ。

いみ ❶かさ・ものの大きさ● 量産・雨量・音量・器量・技量・重量・少量・水量・数量・声量・大量・多量・適量・度量・分量・容量・力量　❷はかる● 計量・推量・度量衡

なりたち

こくもつを入れたうつわの形と、ものがかさなって重いことをあらわす形。

米やあわなどの重さをはかり、重いものは、かさが大きいことから〈かさ・はかる〉の意味になった。

となえかた

量	ひらたい曰
量	よこ一ながく
量	また曰をかいて
量	たてぼうひいたら
量	よこ2本

つかいわけ　重さを**量**る。タイムを**計**る。身長を**測**る。

罒(あみがしら)の部・13画
上下型／l(たてぼう)

くん おく
たなの上に時計を**置**く。
電車の中に、かさを**置**き忘れた。
愛ちゃんは、監督も一目**置**く、すぐれた選手だ。

おん チ
駅前に自転車を放**置**するのはよくない。
机の配**置**を変更する。

いみ ❶そのままにする●**置**き去り・物**置**・拘**置**・放**置**・留**置** ❷すえる・そなえつけておく●**置**物・安**置**・位**置**・常**置**・設**置**・装**置**・倒**置**・配**置** ❸しまつする●処**置**・措**置**

●送りがなに注意…「**置**物」「物**置**」は、「**置**き物」「物**置**き」とは書かない。

なりたち

魚や鳥をとる、あみの形で、とらえること。

十人の目でみれば、にげられないので、すなおになること。

罒 と 直 で 置

心のすなおな人は、とらえられても、すぐにゆるされるので、はじめから、とらえずに〈そのままにする〉ことをあらわす。

となえかた

置 四ににた字
置 十の
置 目をかき
置 たてまげる

きを つけよう 置の「L」は一筆で書く。

方(ほう)の部・14画
左右型／丶(てん)

くん はた　白組の応援で、白い旗をふる。
おん キ　旗手を先頭に、選手団が入場する。
　　　　スタジアムには、両国の国旗がかかげられた。

いみ はた・はたじるし●旗色・旗頭・旗印・赤旗・白旗(白旗)・手旗・旗手・軍旗・校旗・国旗・星条旗・日章旗・反旗・万国旗(万国旗)・優勝旗

なりたち

旂 → 旗 → 旗

はたの形と、四角い台の上にのっているものの形。

四角い台は、指揮官のいるところ。そこに、きちんと人があつまるための、はたじるしのことから、〈はた〉の意味をあらわした。

となえかた

旗	てん 一に かぎまげはねて ノをかいて
旗	ノ 一の
旗	よこで
旗	たてぼう2本 よこ2本
旗	よこぼうながく 八をつける

クイズ　「白旗を上げる」の意味は？　①降参　②満足　③賛成

刀(かたな)の部・**7画**
左右型／｜(たてぼう)

- **くん** わかれる　友だちと公園の前で**別れ**た。
　　　　　　　別れ際に手をふる。
- **おん** ベツ　　先生の**送別会**に出席した。
　　　　　　　別冊もふくめて十一巻の本。

いみ ❶わける・わかれる・はなれる●別れ際・別居・別離・学年別・区別・告別・差別・識別・死別・送別・地域別・判別・分別　❷ほかの・べつの●別格・別館・別個・別冊・別室・別状・別人・別世界・別荘・別便・別名・特別

なりたち

ほねの形。

刀の形。

呙 と 刀 で 別

とってきたけものの、ほねや肉を刀で切って、ばらばらにすることで〈わける・わかれる〉の意味をあらわす。

となえかた

別　口をかいて

別　かぎまげはねて

別　ノをつけて

別　たてぼう2本でおわりをはねる（りっとうをかく）

つかいわけ　校門で先生と**別**れる。意見が**分**かれる。

刀(かたな)の部・7画
左右型／ノ(ななめぼう)

くん（きく）　つき指をして、左手の自由が**利**かない。
　　　　　　　姉はよく気が**利**く。
おん リ　　古着の布を**利**用して、人形をつくる。
　　　　　　　ジョンは**利**発な犬だ。

いみ　❶**するどい・よくきれる**●利器・利口・利刀・利発・利兵・鋭利
　　❷**役にたつ・つごうがよい**●利害・利己・利点・利用・水利・不利・便利・有利　❸**もうけ**●利益・利子・利殖・利息・利得・営利・実利・年利・暴利
●**特別な読み**…(砂利)

なりたち

いねのほの形で、もみの先ののぎのこと。

刀の形。

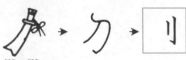

刀の刃が、いねのほさきののぎのようにするどく、よく切れることから〈**するどい・役にたつ**〉という意味をあらわした。

となえかた

利
利

ノ 木とかき
(のぎへんに)
たてぼう2本で
おわりをはねる
(りっとうをかく)

つかいわけ　気が**利**く。薬が**効**く。

刀(かたな)の部・8画
左右型／一(よこぼう)

くん する　墨汁で版画を刷る。
　　　　　二色刷りの参考書はわかりやすい。
おん サツ　学校の社会科見学で、印刷所にいった。
　　　　　日本代表は、ユニフォームの刷新をはかるそうだ。

いみ ❶する・印刷する ● 刷り物・色刷り・校正刷り・手刷り・二色刷り・木版刷り・印刷・縮刷・増刷　❷ぬぐいとる・きれいにする ● 刷新

なりたち

人の形で、おしりのことと、ぬのの形。

刀の形。

おしりのよごれを、ぬのでさっとふきとるように、小刀でさっとよごれをこすりとることから〈ぬぐいとる〉の意味になり、のちに〈印刷する〉の意味もあらわした。

となえかた

刷
刷
刷

コノと
つづけて

たて
かぎはねて
たてぼうかいたら
たてぼう2本で
おわりをはねる
(りっとうをかく)

きを つけよう　刷の「刂」を「戸」としない。

刀(かたな)の部・11画
左右型／一(よこぼう)

くん ──
おん フク　体育の**副読本**を読む。
おじの**副業**はイラストレーターだ。
図書委員会の**副委員長**になった。
薬には**副作用**がつきものだ。

いみ ❶**そえる・つきそう**●副業・副作用・副産物・副詞・副次的・副賞・副食・副題・副読本　❷**中心になる人をたすける**●副委員長・副会長・副議長・副手・副部長　❸**ひかえ・うつし**●副本・正副

なりたち

くらに、こくもつがたくさんある形。

刀の形。

くらに入れたざいさんを、ふたつにわけて、とっておくことから〈**ひかえ・そえる**〉の意味をあらわした。

となえかた

副　一
副　口
副　田んぼで
副　たてぼう2本でおわりをはねる（りっとうをかく）

きを　つけよう　副と似ている字…幅・福

氏（うじ）の部・4画
その他型／ノ（ななめぼう）

くん （うじ）　氏神様のお祭りが、にぎやかにはじまる。
おん シ　　答案用紙に、氏名をはっきり書く。
　　　　　　中村氏は、水泳のコーチとして有名だ。

いみ ❶うじ・みょうじ・おなじ血すじのもののあつまり●氏神・氏子・氏姓・氏族・氏名　❷いえがらや人のなまえにつけることば●木村氏・源氏・徳川氏・平氏

なりたち

たおれそうなものをつっかいぼうでとめている形。

たおれそうになっているものを、まわりからささえている形から、分家兄弟がささえあって形づくっている〈おなじ血すじのもののあつまり〉のことをあらわす。

となえかた

 ノに

 たてはねて

 よこぼうあげて

 つっかいぼうをはねておく

きをつけよう　氏と似ている字…民

二(に)の部・4画
□ その他型／一(よこぼう)

くん い
井戸の水は温度が一定なので、冬は温かく感じる。
福井県でとれるズワイガニは、越前ガニとして知られる。

おん (セイ)
油井が立ち並ぶ大平原を行く。
(ショウ)
天井裏からきこえる物音は、ネズミにちがいない。

いみ ❶いど ●井戸・井戸端会議・市井・油井　❷いげた（「井」の字の形をしたもの）●井桁・天井

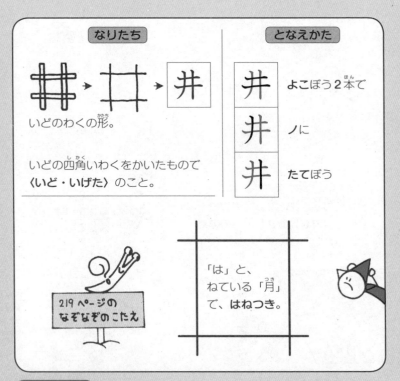

なりたち

井 → 井 → 井

いどのわくの形。

いどの四角いわくをかいたもので〈いど・いげた〉のこと。

となえかた

井　よこぼう2本で
井　ノに
井　たてぼう

219ページの
なぞなぞのこたえ

「は」と、ねている「月」で、はねつき。

クイズ　井の中のかわず　「かわず」とは何？

八(はち)の部・7画
上下型／ノ(ななめぼう)

くん ——
おん ヘイ　兵士は歌を聞いて、ふるさとの山や川を思い出した。
　　　ヒョウ　秀吉は、敵を兵糧攻めにして、城をおとす作戦をとった。
　　　　　　兵庫県にある姫路城は、白鷺城とも呼ばれる。

いみ へいたい・いくさ・ぶき ● 兵糧・兵営・兵役・兵火・兵器・兵士・兵舎・兵制・兵卒・兵隊・兵馬・兵法(兵法)・兵力・騎兵隊・将兵・新兵・水兵・雑兵・番兵

なりたち

斤 → 兵 → 兵

おのを両手でもつ形。

武器のおのを両手でもって、いくさをしたことから〈へいたい・いくさ〉の意味をあらわした。

となえかた

兵	ノをかいて
兵	たて　よこ
兵	たて　よこ
兵	ハをつける

クイズ　□国強兵　□に入る漢字は？　①富　②豊　③布

戈(ほこ/がまえ)の部・6画
□その他型／ノ(ななめぼう)

- **くん** なる　テレビの番組は、広告料で**成り**立つ。
  なす　魚の多くは、泳ぐときに群れを**成す**。
- **おん** セイ　ヤゴが**成虫**になるまでを観察する。
  人類が有人火星探査に**成功**する日は、いつになるだろう。
  (ジョウ)　長年のリーグ優勝の願いが、ついに**成就**した。

いみ ❶**できあがる・しあげる** ● 成り行き・成就・成仏・成果・成功・成績・成分・成立・完成・形成・結成・構成・合成・作成・達成・編成・養成・落成　❷**そだつ・おとなになる** ● 成熟・成人・成虫・成長・成年・育成

なりたち

木のかわをむくための、両手でもつおのの形。

うつわからあふれてる形で、じゅうぶんにみたされること。

戈 と ノ で 成

おので、なんどもなんども木をけずって、ものをつくることから、じゅうぶんに〈できあがる・しあげる〉の意味をあらわした。

となえかた

成　ノをかいて
成　よこ一
成　ちいさく**かぎまげはねて**
成　それからおおきく**たすきにてん**

つかいわけ　工業地帯を**形成**している。試合の**形勢**が不利だ。

心(こころ)の部・5画
□その他型／丶(てん)

- **くん** かならず　約束の時間は、いつも**必ず**守る。
- **おん** ヒツ　**必要**なことをメモする。
  この本は**必読**の書だ。
  必勝を期して、決勝戦にのぞむ。

いみ かならず〜しなければならない・まちがいなく　●必携・必見・必殺・必死・必至・必修・必需品・必勝・必定・必須・必然・必着・必中・必読・必用・必要

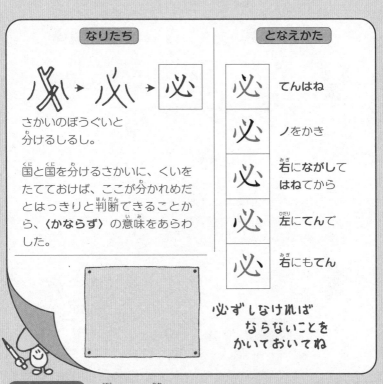

なりたち

さかいのぼうぐいと分けるしるし。

国と国を分けるさかいに、くいをたてておけば、ここが分かれめだとはっきりと判断できることから、〈かならず〉の意味をあらわした。

となえかた

必　てんはね
必　ノをかき
必　右にながしてはねてから
必　左にてんで
必　右にもてん

必ずしなければ
ならないことを
かいておいてね

きを つけよう　「**必ず**」は「必らず」としない。

ッ(つ)の部・9画
上下型／丶(てん)

くん ―
おん タン　日本の鉄道には、単線の区間は少なくなった。
自転車に乗るのは簡単だ。
英単語を辞書で調べる。

いみ ❶ただひとつ●単一・単価・単眼・単行本・単身・単数・単線・単刀直入・単独　❷あっさりしている●単純・単調・簡単　❸ひとまとまりとするもの●単位・単元・単語

なりたち

先がふたまたになったほこの形。

ふたまたのほこひとつで、てきをさすことも、てきのやりをうけることもできたので〈ただひとつ〉の意味をあらわした。

となえかた

単	ッをかいて
単	ひらたく日をかき
単	よこ
単	たてぼう

さんこう　単の反対の意味の字…複

戈（ほこがまえ）の部・13画
左右型／丶（てん）

くん たたかう　ソフトボールの試合で、力いっぱい**戦**った。
（いくさ）　兵士たちは、武器をもって**戦**にでかけた。
おん セン　　**大戦**が終わって、世界に平和がおとずれた。

いみ ❶たたかう・たたかい ● 戦火・戦記・戦後・戦国時代・戦災・戦士・戦死・戦術・戦場・戦線・戦前・戦争・戦地・戦法・戦友・戦乱・戦力・苦戦・決勝戦・作戦・接戦・大戦・敗戦　❷おそろしくてふるえる・おののく ● 戦戦恐恐・戦慄

なりたち

 → 単

先がふたまたになったほこの形。

 → 戈

えの長いほこの形。

と　で　戦

いろいろなほこをまじえてたたかうことで〈たたかう・たたかい〉の意味になった。

となえかた

戦　ツに白をつけて
戦　十をかき
戦　よこぼうかいたら
戦　たすきにてん

きを　つけよう　「戦う」は「戦かう」としない。

車（くるま）の部・9画
上下型／l（たてぼう）

くん ——
おん グン　軍縮会議には、六十五か国が加盟している。
軍手をはめて、草とりをする。
森鷗外は、軍人で、医者で、小説家だった。

いみ ぐんたい・いくさ●軍医・軍歌・軍記・軍旗・軍港・軍国主義・軍事・軍縮・軍人・軍勢・軍隊・軍手・軍配・軍備・軍部・軍服・海軍・官軍・空軍・行軍・従軍・将軍・進軍・大軍・敵軍・敗軍・反乱軍・陸軍

なりたち

かこむしるしと、車の形。

戦車をぐるりととりまいている形から〈ぐんたい・いくさ〉の意味になった。

となえかた

軍	ワかんむり（ワとかいて）
軍	よこ一
軍	日
軍	一
軍	たてながく

きを つけよう　軍の「冖」を「宀」としない。

車(くるま)の部・15画
左右型／一(よこぼう)

くん わ　みんなで**輪**になって、ハンカチおとしをする。
　　　　兄は、ぼくに**輪**をかけて、ねぼすけだ。
　　　　みんなの話の**輪**にくわわる。
おん リン　木の**年輪**をかぞえる。
　　　　クラスで「もみじ」を**輪唱**する。

いみ ❶くるまのわ・わのかたちをしたもの● **輪**切り・**輪**投げ・花**輪**・指**輪**・後**輪**・五**輪**・三**輪**車・車**輪**・前**輪**・年**輪**　❷まわる・めぐる・まわり● **輪**作・**輪**唱・**輪**転機・**輪**読・**輪**番

なりたち

車の形。

と

あつめるしるしと、竹のたんざくの形で、順序よくたばねてならべること。

で

輪

きちんとならんだ、たんざくのように、軸のぼうが、きちんとそろって通っている車のことから〈くるまのわ〉の意味をあらわす。

となえかた

輪　よこ一
　　曰・一

輪　たてぼうかいて

輪　ひとやね
　　一に

輪　たて
　　かぎはねて
　　よこぼうひいたら

輪　たて2本

きを つけよう　輪と似ている字…輪・論

糸(いと)の部・9画
左右型／ノ(ななめぼう)

くん ——
おん ヤク　約束を守るのは、とても大切だ。
　　　　　旅館に宿泊の予約をする。
　　　　　節約して、おこづかいをためる。
　　　　　野球の練習を約二時間した。

いみ ❶**まとめる・しめくくる**●約数・約分・集約・要約　❷**やくそくする・やくそく**●約束・解約・規約・契約・公約・婚約・条約・予約　❸**ひかえめにする**●倹約・節約　❹**およそ**●大約

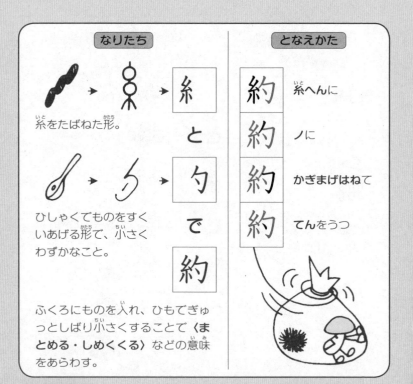

なりたち

糸をたばねた形。

と

ひしゃくでものをすくいあげる形で、小さくわずかなこと。

で

ふくろにものを入れ、ひもでぎゅっとしばり小さくすることで〈まとめる・しめくくる〉などの意味をあらわす。

となえかた

約　糸へんに
約　ノに
約　かぎまげはねて
約　てんをうつ

きを つけよう　約の「勺」を「匂」としない。

糸(いと)の部・12画
左右型／ノ(ななめぼう)

- **くん** むすぶ　　スニーカーのひもをしっかり結ぶ。
  - (ゆう)　　七五三で、妹が日本髪を結う。
  - (ゆわえる)　古新聞をひもで結わえる。
- **おん** ケツ　　意外な結末のドラマの最終回。
  - おじの結婚式に出席する。

いみ
①むすぶ・ゆわえる●結び目・小間結び・本結び・連結　②実をむすぶ・おわる●結果・結局・結末・結論・帰結・終結　③まとめる・まとまる●結合・結婚・結社・結集・結成・結束・団結・締結　④かたまる●結晶・結氷・凍結・氷結

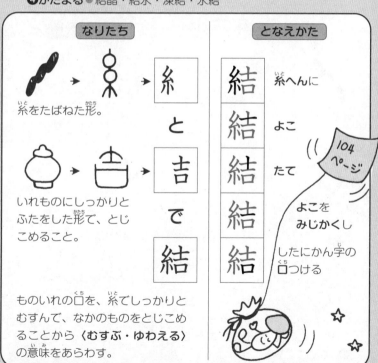

きを　つけよう　結の「士」を「土」としない。

糸(いと)の部・12画
左右型／ノ(ななめぼう)

くん ——
おん キュウ　被災地に支援物資を**配給**する。
姉は、はじめて**給料**をもらう。
ガソリンスタンドで**給油**をしてもらう。

いみ ❶**たりる・あたえる**● 給食・給水・給湯・給付・給油・供給・支給・自給・需給・配給・補給　❷**はたらきにしたがってしはらわれるおかね**● 給与・給料・恩給・月給・高給・週給・昇給・日給　❸**世話をする**● 給仕

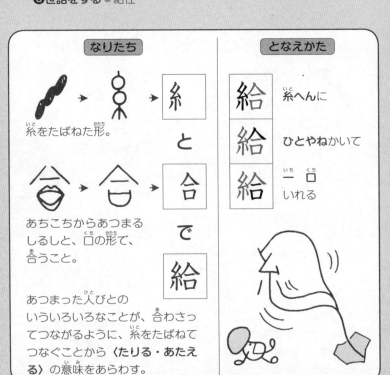

なりたち

糸をたばねた形。

と

あちこちからあつまるしるしと、口の形で、合うこと。

で

あつまった人びとのいういろいろなことが、合わさってつながるように、糸をたばねてつなぐことから〈**たりる・あたえる**〉の意味をあらわす。

となえかた

給　糸へんに
給　ひとやねかいて
給　一　口
　　　いれる

クイズ　□給□足　□に入る同じ漢字は？

糸(いと)の部・13画
左右型／ノ(ななめぼう)

くん つづく　秋晴れの日が**続く**。
　　　　　どこまでも、まっすぐな道が**続く**。
　　　つづける　おとなになっても、スポーツは**続け**たい。
おん ゾク　大好きなファンタジーの**続編**が出る。
　　　　試合は雨でも**続行**する。

いみ つづく・つづける・つらなる・つづき ● 手続き・続出・続続・続発・続編・続刊・続行・永続・勤続・後続・持続・接続・相続・存続・断続・連続

なりたち

糸をたばねた形。

「出」（略した形）とあみと貝の形で〈売る〉こと。

糸をつないで長くするように、ものを長く売りつづけることで、
〈つづく・つづける・つなげる〉の意味をあらわす。

となえかた

続　糸へんに
続　十 一
続　ワをかき
続　ひとあしつける

さんこう　続の反対の意味の字…断

糸(いと)の部・15画
左右型／ノ(ななめぼう)

くん なわ　トラックに荷物を積んで、縄で固定する。
公園の縄ばしごに登って遊ぶ。
夏休みは、沖縄県の宮古島に海水浴に行く。

おん (ジョウ)　ビルの工事現場から、縄文土器が出土した。

いみ なわ ● 縄跳び(縄飛び)・縄ばしご・縄張り・縄目・麻縄・しめ縄・泥縄・一筋縄・火縄・縄文時代・縄文土器・捕縄

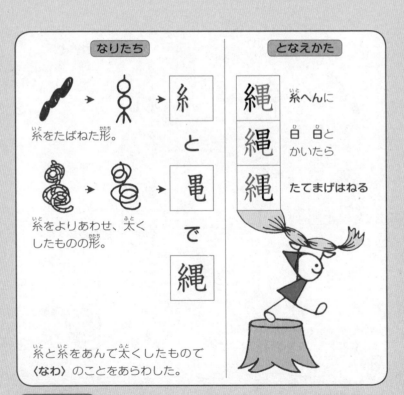

なりたち

糸をたばねた形。

糸 と

糸をよりあわせ、太くしたものの形。

黾 で

縄

糸と糸をあんで太くしたもので〈なわ〉のことをあらわした。

となえかた

縄　糸へんに
縄　日 日とかいたら
縄　たてまげはねる

きを つけよう　縄の「黾」は上の「日」を小さく書く。

夂(なつあし)の部・9画
上下型／丶(てん)

くん かわる　友人の話をきいて、考え方が**変わる**。
　　　 かえる　季節に合わせて、カーテンの色を**変える**。
おん ヘン　時間がたつと、チョウのさなぎが**変化**しはじめた。

いみ ❶**みだれる・ふつうでない**●変わり者・風変わり・変死・変事・変質・変種・変人・変則・変態・変調・異変・大変・天変地異　❷**かわる・かえる**●心変わり・変化・変換・変形・変更・変質・変色・変身・変装・変転・変動・一変・急変・七変化・千変万化・不変・臨機応変

なりたち

→ 亦

ものをつまむ手の形と、糸たばの形。

→ 夂

はんたい向きの足の形で、うまくいかないこと。

と

で

変

からまった糸がほどけずに、ばたばたすることで〈**ふつうてない・かわる**〉の意味をあらわした。

となえかた

変　てん 一に

変　たてたノ たてはね

変　ハをつけて

変　かなのク かいたら

変　右ばらい

クイズ　千変万□　□に入る漢字は？　①化　②変　③定

巾(はば)の部・10画
□その他型／丶(てん)

くん ——
おん セキ　特急の**指定席**を予約する。
　　　　かぜをひいて、学校を**欠席**した。
　　　　児童席と**保護者席**をわける。
　　　　やっと四人がけの**席**があいた。

いみ ❶**せき・すわるところ**●席順・客席・空席・見物席・座席・指定席・主賓席・助手席・即席・着席・末席　❷**会やあつまりをするばしょ**●席上・宴席・演席・会席・欠席・出席・同席・臨席・列席・寄席　❸**地位**●席次・主席・首席

●**特別な読み**…(寄席)

214　つかいわけ　中国の国家**主席**。**首席**で卒業する。

巾（はば）の部・10画
上下型／一（よこぼう）

くん おびる　東の空が、だんだん赤みを**帯び**てきた。
　　　 おび　　**帯**に短し、たすきに長し。
おん タイ　　雨がっぱと**携帯**ラジオをもって、登山する。

いみ ❶**おび・おびのようなもの**●帯状・帯止め・帯封・温帯・寒帯・眼帯・地帯・熱帯・包帯・緑地帯　❷**おびる・身につける・もつ**●帯電・帯刀・帯同・携帯・妻帯・世帯・付帯

なりたち	となえかた

身のまわりのものを、ひもに通した形。

四角いぬのをたらしたこしひもの形。

こしひもを、着物の上からこしにまいて、身のまわりのいろいろなものをそのひもに通して、もちあるいたことから〈おび・もつ〉の意味になった。

- 帯　よこぼうに
- 帯　たてぼう3本　左から
- 帯　そして　そことじ
- 帯　ワをかいて
- 帯　たて　かぎはねて　たてぼうながく

きを　つけよう　「**帯び**る」は「帯る」としない。

巾（はば）の部・7画
上下型／ノ（ななめぼう）

くん —
おん キ

上空にいくほど、空気が**希薄**になる。
金やダイヤモンドには**希少**価値がある。
希望をもって、強く生きていく。

いみ ❶まれ・すくない・めずらしい ●希釈・希少・希世・希代・希薄・古希　❷ねがう ●希求・希望

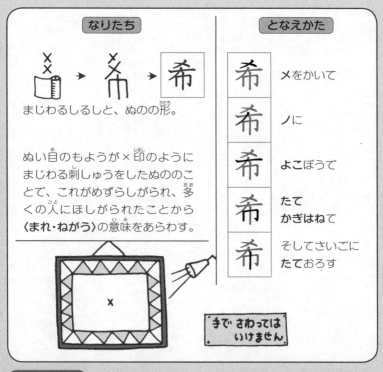

なりたち

まじわるしるしと、ぬのの形。

ぬい目のもようが×印のようにまじわる刺しゅうをしたぬののことで、これがめずらしがられ、多くの人にほしがられたことから〈まれ・ねがう〉の意味をあらわす。

となえかた

- メをかいて
- ノに
- よこぼうで
- たてかぎはねて
- そしてさいごにたておろす

「手でさわってはいけません」

クイズ　「古希」とは何才のこと？　①50才　②60才　③70才

ム(む)の部・8画
□その他型／ノ(ななめぼう)

くん まいる　家族全員で、お墓に**参**る。
　　　　　　今回の試合は完全に**参**った。

おん サン　みんなの意見を**参考**にする。
　　　　　　夏のキャンプに**参加**する。
　　　　　　きょうは、ひさしぶりの**授業参観**の日だ。

いみ ❶**おまいりをする**●宮参り・参宮・参詣・参道・参拝・墓参　❷**目上の人のところにうかがう・いく**●参賀・参勤・参上・参内　❸**くわわる・なかまにはいる**●参加・参会・参画・参集・参政権・参列　❹**かんがえのたしにする・ひきくらべる**●参観・参考・参照

なりたち

かんざしと、ふくのかざりのもよう。

頭に高さのちがう三本のかんざしをつけ、着かざっておまいりにいくことから〈おまいりをする〉という意味をあらわす。

となえかた

 かなのム

 大きい

 ノがみっつ

54ページで
ちょっと いたずら
ルン ルン ルン

きを つけよう　「参る」は「参いる」としない。

衣(ころも)の部・6画
□その他型／丶(てん)

くん（ころも）
冬服に**衣**替えをした。
墨ぞめの黒い**衣**をつけたお坊さん。
天女の羽**衣**のお話は、日本各地に伝えられている。

おん イ
衣類の虫ぼしをした。
はなやかな花嫁**衣**装にあこがれる。

いみ ころも・きもの ● 衣替え・羽衣・衣装・衣食住・衣服・衣料・衣類・更衣室・黒衣・僧衣・脱衣場・着衣・白衣(白衣)・浴衣
● 特別な読み…（浴衣）

なりたち

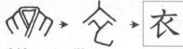

着物のえりの形。

着物の形から〈ころも・きもの〉の意味をあらわした。

となえかた

衣	てん 一に
衣	イのたてはねて
衣	左右にはらう

さんこう　衣は、へんになると「ネ」の形になる。

十(じゅう)の部・8画
上下型／丶(てん)

くん ——
おん ソツ　意外なことをとつぜん知らされて、卒倒しそうだ。
　　　　あっというまに卒業の日をむかえた。

いみ ❶**くらいのひくい兵**●士卒・従卒・兵卒　❷**にわかに・あわてる**●卒然・卒中・卒倒　❸**おわる**●卒園・卒業・高卒・新卒・大学卒・中卒

なりたち

かたから、たすきをかけた形で、くらいのひくい兵のこと。

はじめは、上官のせわをする〈くらいのひくい兵〉のことだったが、よばれると、あわててとびだすので〈にわかに・あわてる〉の意味になり、いいつけられた用事をきちんとやりとげるところから〈おわる〉の意味もあらわした。

となえかた

卒　てん　一に

卒　人をふたつで

卒　十をかく

なぞなぞ
この字はなんてよむの？

このなぞなぞが できたら
このページは 卒業だよ
できなければ 200ページへ

きを つけよう　卒と似ている字…率

刀(かたな)の部・7画
左右型／ヽ(てん)

くん	はじめ	練習を**初め**からやりなおす。
	はじめて	**初めて**海外旅行にいく。
	はつ	**初物**のブドウを買う。
	(うい)	とても**初初しい**小学一年生。
	(そめる)	お正月に**書き初め**をする。
おん	ショ	ここちよい**初夏**の風が、ほおをなでる。

いみ ❶**はじめ・はやい時期**●初夏・初期・初級・初旬・初冬・初頭・初歩・最初・当初 ❷**はじめての・いちばんめ**●初陣・初荷・初物・初雪・初夢・書き初め・初心・初代・初対面・初段・初日・初版

なりたち

着物のえりの形で、ころものこと。→ネ

刀の形で、はもので切ること。→刀

と　で　初

ぬのをはもので切ることは、着物をつくるときのさいしょの仕事だということから、〈はじめ〉の意味をあらわす。

となえかた

初　てんにフをかき
初　たて
初　チョン　チョン
初　かぎまげはねて
初　ノをつける

つかいわけ　年の**初め**の行事。今日は仕事**始め**だ。

その他

兆

儿（ひとあし）の部・6画
左右型／ノ（ななめぼう）

くん （きざす）　午後の日ざしのまぶしさに、夏が兆す。
　　　（きざし）　雪がとけはじめ、春の兆しがみえてきた。
おん チョウ　　火山が、活動をはじめた兆候がある。
　　　　　　　　空が暗くなり、風もでてきたのは、あらしの前兆だ。

いみ
❶ うらない・ものごとのおこりそうなまえぶれ ● 兆候・吉兆・前兆
❷ 一億の一万倍の数 ● 一兆・十兆・千兆　❸ おおくの ● 兆民・億兆

なりたち

ノ\\ → 八\\ → 兆

ノ\は、かめのこうのひび、八\は|を分ける形で、こまかいところまでみわけること。

むかし、かめのこうをやき、そのひび割れのぐあいで、ものごとのよしあしをうらなったところから〈うらない・まえぶれ〉の意味をあらわした。

となえかた

兆　たてたノに

兆　ンをつけ

兆　たてまげはねて

兆　チョン　チョン　つける

クイズ　1兆の1万倍は？　①1糸　②1京　③1極

木の葉がみんななくなって、おしまいに、ふしぎな紙きれがとんできた。

なんだか、さっぱりわからない。

かたつむりが、
「漢字をはや書きしてごらんよ。」
と、いいました。
書いてみると、
　　　　　　おやおや？

「ひらがなになっちゃった！」

「漢字の一部をよくみて書くと、カタカナだってできるんだ。」

「もりのなかにだ！」
「モリノナカニだ！」
こびとは、森にむかって
かけだした。

オルゴールがあった！

ふたをあけると、
歌がきこえてきた。

「ひらがな」は、
漢字をくずして、はや書きし、
書いてるうちに、できたもの。

「カタカナ」は、
漢字の一部を切りとって、
ほかをはぶいて、できたもの。

オルゴールのなかから、
手紙がでてきた。

こんどは、わかるかしら？

ほら、山のほうにやってきた。

こんな
つかいかたも
ありますよ

きのう	昨日	ともだち	友達
くだもの	果物	はかせ	博士
けしき	景色	てつだう	手伝う
しみず	清水	めがね	眼鏡

クイズのこたえ

くみたてクイズ
(64・65ページ、左上から)
関・香・器・固・挙・念・量

よくばりクイズ (85ページ)
ねオン・こショウ・ニンジン
はシ・ニジ

かくれんぼクイズ (132ページ)
一 二 三 十 日 中 土
古 工 山 千 口 田 由
甲 里 申 車 和 重 など

となえかたの やくそく

一	よこぼう (よこいち)	ー
丿	よこはね (よこぼうはねる)	) レ
、	てん (チョン)	) ケ
亠	てんいち	レ
丷	ソいち	レ
亻	ノいち	ノ
冫	ノフ (とつづける)	フ
ヨ	ヨのなかながく	フ

「山の上で

たてぼう (たて)		フ	かぎまげ (うち)はね
たてはね (たてぼうはねる)		乙乁	かぎまげ (そと)はね
たて(ぼう) まげはね		ろ・ろ	フにつづける フをつづける
たてまげ		／	もちあげる
たてまげはねる		ノ	左ばらい
たてたノ (ノをたてる)		＼	右ばらい
かぎ		ㄨㇶ	左右にはらう
かぎはね		ㄨ	りょうばらい

光っているもの、なにかしら?」

山に登ってみると、
かぎだった！

漢字をさがすときは、
〈さくいん〉のとびらを
あけてごらん。

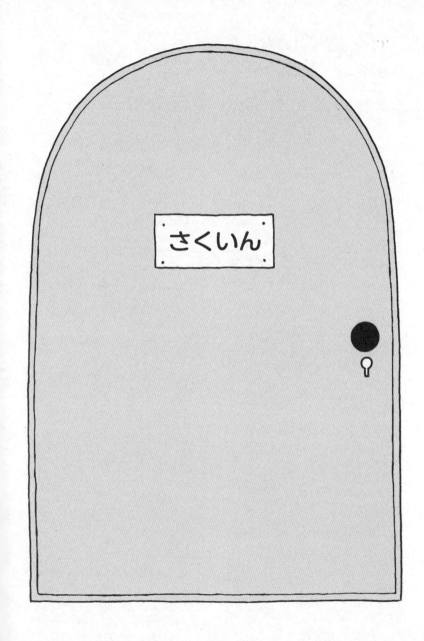

おん くん さくいん

① 読みのわかっている漢字をしらべるときにつかいます。
② カタカナは音読み、ひらがなは訓読み、細字は送りがなです。（　）は、小学校で習わない読みです。
③ 五十音順で、音読み、訓読みの順にならべてあります。同じ読みの場合は、画数の少ない順です。
④ 数字は、その漢字がのっているページです。

あ

アイ	愛	84
あがる	挙	62
あげる	挙	62
あさい	浅	156
あたり	辺	80
あつい	熱	182
あびせる	浴	158
あびる	浴	158
あらそう	争	71
あらたまる	改	66
あらためる	改	66
アン	案	111

い

イ	以	32
イ	衣	218
イ	位	18
い	井	200
（いくさ）	戦	205
いさむ	勇	90
いばら	茨	125
（いる）	要	15
いわう	祝	189
イン	印	70

う

（うい）	初	220
（うじ）	氏	199
うしなう	失	73
（うつわ）	器	186
（うぶ）	産	134
うまれる	産	134
うむ	産	134
うめ	梅	117

え

エイ	英	129
エイ	栄	110
（えむ）	笑	130
えらぶ	選	81
エン	塩	175
（エン）	媛	36

お

おいる	老	39
おか	岡	165
おき	沖	161
オク	億	29
おく	置	193
おさまる	治	154

おさめる	治	154
おっと	夫	14
(おのおの)	各	52
おび	帯	215
おびる	帯	215
おぼえる	覚	48
おり	折	63
おる	折	63
おれる	折	63

か

カ	加	87
カ	果	124
カ	貨	93
カ	課	55
か	香	137
か	鹿	107
ガ	芽	126
ガ	賀	94
カイ	改	66
カイ	械	115
(カイ)	街	77
ガイ	害	141
ガイ	街	77
(かえりみる)	省	47
かえる	変	213
かおり	香	137
かおる	香	137
かがみ	鏡	174
かかわる	関	139
カク	各	52
カク	覚	48
かく	欠	40
かける	欠	40
かた	潟	162
かたい	固	148
かたまる	固	148
かためる	固	148
かなめ	要	15
かならず	必	203
かりる	借	25
がわ	側	23
かわる	変	213
カン	完	143
カン	官	140
カン	管	133
カン	関	139
カン	観	49
ガン	願	43

き

キ	希	216
キ	季	38
キ	旗	194
キ	器	186
キ	機	114
(キ)	岐	166
ギ	議	57
(きく)	利	196
(きざし)	兆	221
(きざす)	兆	221
(きそう)	競	60
キュウ	求	105
キュウ	給	210
(キュウ)	泣	160
キョ	挙	62
ギョ	漁	153
きよい	清	157
キョウ	共	61
キョウ	協	88
キョウ	鏡	174
キョウ	競	60

(キョウ)	香	137
キョク	極	118
きよまる	清	157
きよめる	清	157
(きわまる)	極	118
(きわみ)	極	118
(きわめる)	極	118

く

(ク)	功	89
くだ	管	133
くま	熊	106
くら	倉	138
くらい	位	18
くわえる	加	87
くわわる	加	87
クン	訓	59
グン	軍	206
グン	郡	168
グン	群	98

け

ケイ	径	75
ケイ	景	150
ケイ	競	60
ゲイ	芸	128
ケツ	欠	40
ケツ	結	209
ケン	建	78
ケン	健	28
ケン	験	99
(ゲン)	験	99

こ

コ	固	148
コウ	功	89
コウ	好	35
コウ	候	27
コウ	康	147
(コウ)	香	137
(ゴク)	極	118
こころみる	試	56
このむ	好	35
(ころも)	衣	218
(コン)	建	78

さ

サ	佐	31
サ	差	72
サイ	菜	127
サイ	最	69
さい	埼	177
ザイ	材	120
さかえる	栄	110
さき	崎	167
サク	昨	149
さす	差	72
サツ	札	121
サツ	刷	197
サツ	察	142
さます	冷	164
さます	覚	48
さめる	冷	164
さめる	覚	48
サン	参	217
サン	産	134
サン	散	68
ザン	残	86

し

シ	氏	199
シ	司	51
シ	試	56
ジ	児	33
ジ	治	154
ジ	辞	54
(ジ)	滋	163
しお	塩	175
しか	鹿	107
しず	静	122
しずか	静	122
しずまる	静	122
しずめる	静	122
シツ	失	73
シャク	借	25
シュ	種	135
シュウ	周	53
(シュウ)	祝	189
シュク	祝	189
ジュン	順	42
ショ	初	220
ショウ	松	116
ショウ	省	47
ショウ	唱	50
ショウ	照	181
(ショウ)	井	200
(ショウ)	笑	130
(ショウ)	清	157
(ショウ)	焼	179
ジョウ	城	176
(ジョウ)	成	202
(ジョウ)	静	122
(ジョウ)	縄	212
しるし	印	70
しろ	城	176
シン	臣	45
シン	信	22
ジン	臣	45

す

す	巣	102
すえ	末	108
すく	好	35
(すこやか)	健	28
する	刷	197

せ

セイ	成	202
セイ	省	47
セイ	清	157
セイ	静	122
(セイ)	井	200
(ゼイ)	説	58
セキ	席	214
セキ	積	136
せき	関	139
(セチ)	節	131
セツ	折	63
セツ	節	131
セツ	説	58
(せる)	競	60
セン	戦	205
セン	選	81
(セン)	浅	156
ゼン	然	180

そ

ソウ	争	71
ソウ	倉	138
(ソウ)	巣	102
(そうろう)	候	27
ソク	束	109
ソク	側	23
ゾク	続	211
そこ	底	145
ソツ	卒	219
(そめる)	初	220
ソン	孫	37

た

タイ	帯	215
タイ	隊	171
たぐい	類	44
たたかう	戦	205
タツ	達	82
たつ	建	78
たてる	建	78
たとえる	例	24
たね	種	135
たば	束	109
(たみ)	民	46
(ためす)	試	56
たより	便	26
タン	単	204

ち

チ	治	154
チ	置	193
(チュウ)	仲	17
(チュウ)	沖	161
チョウ	兆	221
ちらかす	散	68
ちらかる	散	68
ちらす	散	68
ちる	散	68

つ

つく	付	21
つける	付	21
つたう	伝	19
つたえる	伝	19
つたわる	伝	19
つづく	続	211
つづける	続	211
つつむ	包	34
つとめる	努	92
つむ	積	136
つめたい	冷	164
つもる	積	136
つらなる	連	79
つらねる	連	79
つれる	連	79

て

テイ	低	20
テイ	底	145
テキ	的	151
てらす	照	181
てる	照	181
てれる	照	181
テン	典	185
デン	伝	19

と

ト	徒	74
ド	努	92
トウ	灯	178
ドウ	働	30
トク	特	96
トク	徳	76
とく	説	58
とち	栃	113
となえる	唱	50
とばす	飛	104
とぶ	飛	104
とみ	富	144
とむ	富	144
とも	共	61

な

ナ	奈	188
な	菜	127
ない	無	183
なおす	治	154
なおる	治	154
なか	仲	17
なく	泣	160
なし	梨	112
なす	成	202
なる	成	202
なわ	縄	212

に

(ニ)	児	33

ね

ねがう	願	43
ネツ	熱	182
ネン	念	83
ネン	然	180

の

のこす	残	86
のこる	残	86
のぞむ	望	152

は

ハイ	敗	67
バイ	梅	117
(はえ)	栄	110
(はえる)	栄	110
はかる	量	192
ハク	博	184
(バク)	博	184
はじめ	初	220
はじめて	初	220
はた	旗	194
(はた)	機	114
はたす	果	124
はたらく	働	30
はつ	初	220
(ハッ)	法	155
(バツ)	末	108
はて	果	124
はてる	果	124
はぶく	省	47
ハン	飯	41
(ハン)	阪	172

ひ

ヒ	飛	104
(ひ)	灯	178
ひえる	冷	164
ひくい	低	20
ひくまる	低	20
ひくめる	低	20
ヒツ	必	203
ひや	冷	164
ひやかす	冷	164
ひやす	冷	164
ヒョウ	兵	201
ヒョウ	票	187
ヒョウ	標	119
ビン	便	26

ふ

フ	不	103
フ	夫	14
フ	付	21
フ	府	146
フ	阜	169
フ	富	144
ブ	不	103
ブ	無	183
(フウ)	夫	14
(フウ)	富	144
フク	副	198
(ふける)	老	39
ふし	節	131
ふだ	札	121

へ

ベ	辺	80
ヘイ	兵	201
ベツ	別	195
ヘン	辺	80
ヘン	変	213
ベン	便	26

ほ

ホウ	包	34
ホウ	法	155
ボウ	望	152
ボク	牧	95
(ホッ)	法	155

ま

まいる	参	217
(まき)	牧	95
まご	孫	37
まち	街	77
マツ	末	108
まつ	松	116
まと	的	151
まわり	周	53
マン	満	159

み

ミ	未	123
みたす	満	159
みちる	満	159
ミン	民	46

む

ム	無	183
むすぶ	結	209
むら	群	98
むれ	群	98
むれる	群	98

め

め	芽	126
めし	飯	41

も

(モウ)	望	152
もっとも	最	69
もとめる	求	105

や

ヤク	約	208
やく	焼	179
やける	焼	179
やしなう	養	97
やぶれる	敗	67
(やめる)	辞	54

ゆ

ユウ	勇	90
(ゆう)	結	209
(ゆわえる)	結	209

よ

よい	良	191

ヨウ	要	15
ヨウ	養	97
ヨク	浴	158

り

リ	利	196
リク	陸	170
リョウ	良	191
リョウ	料	190
リョウ	量	192
リョウ	漁	153
リン	輪	207

る

ルイ	類	44

れ

レイ	令	16
レイ	冷	164
レイ	例	24
レン	連	79

ろ

ロウ	老	39
ロウ	労	91
ロク	録	173

わ

わ	輪	207
わかれる	別	195
わらう	笑	130

画さくいん

❶ 漢字の読みがわからないときに、漢字の画数をかぞえて文字をさがします。
❷ 画数の少ない順にならべてあります。画数が同じものは、音読みの五十音順です。
❸ 数字は、その漢字がのっている ページです。

4画

- 欠 ……… 40
- 氏 ……… 199
- 井 ……… 200
- 不 ……… 103
- 夫 ……… 14

5画

- 以 ……… 32
- 加 ……… 87
- 功 ……… 89
- 札 ……… 121
- 司 ……… 51
- 失 ……… 73
- 必 ……… 203
- 付 ……… 21
- 辺 ……… 80
- 包 ……… 34
- 末 ……… 108
- 未 ……… 123
- 民 ……… 46
- 令 ……… 16

6画

- 衣 ……… 218
- 印 ……… 70
- 各 ……… 52
- 共 ……… 61
- 好 ……… 35
- 成 ……… 202
- 争 ……… 71
- 仲 ……… 17
- 兆 ……… 221
- 伝 ……… 19
- 灯 ……… 178
- 老 ……… 39

7画

- 位 ……… 18
- 改 ……… 66
- 完 ……… 143

- 岐 ……… 166
- 希 ……… 216
- 求 ……… 105
- 芸 ……… 128
- 佐 ……… 31
- 材 ……… 120
- 児 ……… 33
- 初 ……… 220
- 臣 ……… 45
- 折 ……… 63
- 束 ……… 109
- 沖 ……… 161
- 低 ……… 20
- 努 ……… 92
- 阪 ……… 172
- 兵 ……… 201
- 列 ……… 195
- 利 ……… 196
- 良 ……… 191
- 冷 ……… 164
- 労 ……… 91

8画

- 英 ……… 129
- 岡 ……… 165
- 果 ……… 124
- 芽 ……… 126
- 官 ……… 140
- 季 ……… 38
- 泣 ……… 160
- 協 ……… 88
- 径 ……… 75

固	148
刷	197
参	217
治	154
周	53
松	116
卒	219
底	145
的	151
典	185
奈	188
念	83
府	146
阜	169
法	155
牧	95
例	24

9画

茨	125
栄	110
軍	206
建	78
香	137
昨	149
祝	189
城	176
信	22
省	47
浅	156

単	204
栃	113
飛	104
変	213
便	26
約	208
勇	90
要	15

10画

案	111
害	141
挙	62
訓	59
郡	168
候	27
差	72
残	86
借	25
笑	130
席	214
倉	138
孫	37
帯	215
徒	74
特	96
梅	117
浴	158
料	190
連	79

11画

貨	93
械	115
健	28
康	147
埼	177
菜	127
崎	167
産	134
鹿	107
唱	50
清	157
巣	102
側	23
梨	112
敗	67
票	187
副	198
望	152
陸	170

12画

媛	36
賀	94
街	77
覚	48
給	210
極	118
景	150

結 ……… 209	置 ……… 193	輪 ……… 207
最 ……… 69	働 ……… 30	
散 ……… 68		**16画**
滋 ……… 163	**14画**	
順 ……… 42		機 ……… 114
焼 ……… 179	管 ……… 133	積 ……… 136
然 ……… 180	関 ……… 139	録 ……… 173
隊 ……… 171	旗 ……… 194	
達 ……… 82	漁 ……… 153	**18画**
博 ……… 184	熊 ……… 106	
飯 ……… 41	察 ……… 142	観 ……… 49
富 ……… 144	種 ……… 135	験 ……… 99
満 ……… 159	静 ……… 122	類 ……… 44
無 ……… 183	説 ……… 58	
量 ……… 192	徳 ……… 76	**19画**
13画	**15画**	願 ……… 43
		鏡 ……… 174
愛 ……… 84	億 ……… 29	
塩 ……… 175	課 ……… 55	**20画**
群 ……… 98	潟 ……… 162	
試 ……… 56	器 ……… 186	議 ……… 57
辞 ……… 54	縄 ……… 212	競 ……… 60
照 ……… 181	選 ……… 81	
節 ……… 131	熱 ……… 182	
戦 ……… 205	標 ……… 119	
続 ……… 211	養 ……… 97	

部首さくいん

❶ここでは、4年生でならう漢字を部首ごとにまとめました。
❷部首は、画数順にならべてあります。
❸同じ部首のなかでは、漢字の画数の少ない順にならべてあります。画数が同じものは、音読みの五十音順です。
❹数字は、その漢字がのっているページです。
＊部首のよび名や分け方は、辞典によってことなることがあります。

一(いち)の部
不 ………… 103

亅(はねぼう)の部
争 ………… 71

二(に)の部
井 ………… 200

人(ひと)の部
イ(にんべん)
入(ひとやね)

以 ………… 32
付 ………… 21
令 ………… 16
仲 ………… 17
伝 ………… 19
位 ………… 18
佐 ………… 31
低 ………… 20
例 ………… 24
信 ………… 22
便 ………… 26
候 ………… 27
借 ………… 25
倉 ………… 138
健 ………… 28
側 ………… 23
働 ………… 30
億 ………… 29

儿(ひとあし)の部
兆 ………… 221
児 ………… 33

八(はち)の部
共 ………… 61
兵 ………… 201
典 ………… 185

冫(にすい)の部
冷 ………… 164

刀(かたな)の部
刂(りっとう)

初 ………… 220
別 ………… 195
利 ………… 196
刷 ………… 197
副 ………… 198

力(ちから)の部
加 ………… 87
功 ………… 89
努 ………… 92
労 ………… 91
勇 ………… 90

勹(つつみがまえ)の部
包 ………… 34

十(じゅう)の部
協 ………… 88
卒 ………… 219
博 ………… 184

卩(ふしづくり)の部
印 ………… 70

ム(む)の部
参 ………… 217

口(くち)の部 / 口(くちへん)

司 ·········· 51
各 ·········· 52
周 ·········· 53
唱 ·········· 50
器 ·········· 186

囗(くにがまえ)の部

固 ·········· 148

土(つち)の部 / 土(つちへん)

城 ·········· 176
埼 ·········· 177
塩 ·········· 175

夂(なつあし)の部

変 ·········· 213

大(だい)の部

夫 ·········· 14
失 ·········· 73
奈 ·········· 188

女(おんな)の部 / 女(おんなへん)

好 ·········· 35
媛 ·········· 36

子(こ)の部 / 子(こへん)

季 ·········· 38
孫 ·········· 37

宀(うかんむり)の部

完 ·········· 143
官 ·········· 140
害 ·········· 141
富 ·········· 144
察 ·········· 142

山(やま)の部 / 山(やまへん)

岐 ·········· 166
岡 ·········· 165
崎 ·········· 167

工(え)の部

差 ·········· 72

巾(はば)の部

希 ·········· 216
席 ·········· 214
帯 ·········· 215

广(まだれ)の部

底 ·········· 145
府 ·········· 146
康 ·········· 147

廴(えんにょう)の部

建 ·········· 78

彳(ぎょうにんべん)の部

径 ·········· 75
徒 ·········· 74
徳 ·········· 76

灬(つ)の部

単 ·········· 204
巣 ·········· 102

艹(くさかんむり)の部

芸 ·········· 128
英 ·········· 129
芽 ·········· 126
茨 ·········· 125
菜 ·········· 127

辶(しんにょう)の部

辺 ·········· 80
連 ·········· 79
達 ·········· 82
選 ·········· 81

阝(こざとへん)の部

阪 ·········· 172
陸 ·········· 170
隊 ·········· 171

阝(おおざと)の部

郡 ·········· 168

耂(おいかんむり)の部

老 ·········· 39

心(こころ)の部

- 必 ……… 203
- 念 ……… 83
- 愛 ……… 84

戈(ほこ/がまえ)の部

- 成 ……… 202
- 戦 ……… 205

手(て)の部
扌(てへん)

- 折 ……… 63
- 挙 ……… 62

攵(のぶん)の部

- 改 ……… 66
- 敗 ……… 67
- 散 ……… 68

斗(とます)の部

- 料 ……… 190

方(ほう)の部
方(かたへん)

- 旗 ……… 194

日(ひ)の部
日(ひへん)

- 昨 ……… 149
- 景 ……… 150

曰(ひらび)の部

- 最 ……… 69

月(つき)の部

- 望 ……… 152

木(き)の部
木(きへん)

- 札 ……… 121
- 末 ……… 108
- 未 ……… 123
- 材 ……… 120
- 束 ……… 109
- 果 ……… 124
- 松 ……… 116
- 栄 ……… 110
- 栃 ……… 113
- 案 ……… 111
- 梅 ……… 117
- 械 ……… 115
- 梨 ……… 112
- 極 ……… 118
- 標 ……… 119
- 機 ……… 114

欠(あくび)の部

- 欠 ……… 40

歹(いちたへん)の部

- 残 ……… 86

氏(うじ)の部

- 氏 ……… 199
- 民 ……… 46

水(みず)の部
氵(さんずい)

- 求 ……… 105
- 沖 ……… 161
- 泣 ……… 160
- 治 ……… 154
- 法 ……… 155
- 浅 ……… 156
- 浴 ……… 158
- 清 ……… 157
- 滋 ……… 163
- 満 ……… 159
- 漁 ……… 153
- 潟 ……… 162

火(ひ)の部
火(ひへん)
灬(れんが)

- 灯 ……… 178
- 焼 ……… 179
- 然 ……… 180
- 無 ……… 183
- 照 ……… 181
- 熊 ……… 106
- 熱 ……… 182

牛(うし)の部
牛(うしへん)

- 牧 ……… 95
- 特 ……… 96

生(うまれる)の部

- 産 ……… 134

白(しろ)の部

- 的 ……… 151

目(め)の部

- 省 ……… 47

示(しめす)の部
ネ(しめすへん)

- 祝 ……… 189
- 票 ……… 187

禾(のぎへん)の部

種 ·········· 135
積 ·········· 136

立(たつ)の部

競 ·········· 60

罒(あみがしら)の部

置 ·········· 193

竹(たけ)の部
⺮(たけかんむり)

笑 ·········· 130
節 ·········· 131
管 ·········· 133

糸(いと)の部
糸(いとへん)

約 ·········· 208
給 ·········· 210
結 ·········· 209
続 ·········· 211
縄 ·········· 212

羊(ひつじ)の部

群 ·········· 98

西(にし)の部

要 ·········· 15

艮(ねづくり)の部

良 ·········· 191

行(ぎょうがまえ)の部

街 ·········· 77

衣(ころも)の部

衣 ·········· 218

臣(しん)の部

臣 ·········· 45

見(みる)の部

覚 ·········· 48
観 ·········· 49

言(げん)の部
言(ごんべん)

訓 ·········· 59
試 ·········· 56
説 ·········· 58
課 ·········· 55
議 ·········· 57

貝(かい)の部

貨 ·········· 93
賀 ·········· 94

車(くるま)の部
車(くるまへん)

軍 ·········· 206
輪 ·········· 207

辛(からい)の部

辞 ·········· 54

里(さと)の部

量 ·········· 192

金(かね)の部
釒(かねへん)

録 ·········· 173
鏡 ·········· 174

門(もんがまえ)の部

関 ·········· 139

青(あお)の部

静 ·········· 122

阜(おか)の部

阜 ·········· 169

頁(おおがい)の部

順 ·········· 42
類 ·········· 44
願 ·········· 43

飛(とぶ)の部

飛 ·········· 104

食(しょく)の部
飠(しょくへん)

飯 ·········· 41
養 ·········· 97

香(かおり)の部

香 ·········· 137

馬(うま)の部
馬(うまへん)

験 ·········· 99

鹿(しか)の部

鹿 ·········· 107

下村式 はやくりさくいん®

❶ 読みや画数がわからなくても、「型」と「書きはじめ(書き順の一画め)」を手がかりに漢字をさがすことができます。型ごとに、書きはじめでわけた漢字を、画数の少ない順にならべ、画数が同じものは、音読みの五十音順にならべてあります。

3つの型	□■左右型	たてのまっすぐな線、またはへん・つくりなどで、左右にわけられる (川、休など)
	■上下型	よこのまっすぐな線、またはかんむり・あしなどで、上下にわけられる (六、草など)
	□その他型	左右にも上下にもわけづらい (耳、夕など)
4つの書きはじめ	一(よこぼう)	書きはじめが 一 (十、木など)
	│(たてぼう)	書きはじめが │ (目、口など)
	ノ(ななめぼう)	書きはじめが ノ (休、竹など)
	ヽ(てん)	書きはじめが ヽ (空、音など)

❷ 型や書きはじめをまようものも、さがせるようになっています。本文にある型とちがうものや、書きはじめをまちがえやすいものは、赤字でしめしてあります。
❸ 数字は、その漢字がのっているページです。

■■左右型

一(よこぼう)

加	87
功	89
札	121
好→ななめぼう	35
改	66
材	120
折	63
阪	172
協	88
刷	197
松	116
城	176
栃	113
郡	168
残	86
孫	37
梅	117
料→てん	190
械	115
埼	177
副	198
陸	170
媛→ななめぼう	36
極	118
散	68
隊	171
博	184
塩	175
群	98
静	122
標	119
輪	207
機	114
験→たてぼう	99
類→てん	44
願	43

｜(たてぼう)

- 岐 ………… 166
- 阪→よこぼう … 172
- 別 ………… 195
- 昨 ………… 149
- 崎 ………… 167
- 唱 ………… 50
- 敗 ………… 67
- 陸→よこぼう … 170
- 隊→よこぼう … 171
- 験 ………… 99

ノ(ななめぼう)

- 付 ………… 21
- 印 ………… 70
- 好 ………… 35
- 仲 ………… 17
- 兆 ………… 221
- 伝 ………… 19
- 位 ………… 18
- 佐 ………… 31
- 低 ………… 20
- 利 ………… 196
- 径 ………… 75
- 的 ………… 151
- 牧 ………… 95
- 例 ………… 24
- 信 ………… 22
- 便 ………… 26
- 約 ………… 208
- 候 ………… 27
- 借 ………… 25
- 徒 ………… 74
- 特 ………… 96
- 健 ………… 28
- 側 ………… 23
- 媛 ………… 36

- 街 ………… 77
- 給 ………… 210
- 結 ………… 209
- 順 ………… 42
- 飯 ………… 41
- 辞 ………… 54
- 節→上下型 … 131
- 続 ………… 211
- 働 ………… 30
- 熊→上下型 … 106
- 種 ………… 135
- 徳 ………… 76
- 億 ………… 29
- 縄 ………… 212
- 積 ………… 136
- 録 ………… 173
- 観 ………… 49
- 鏡 ………… 174

丶(てん)

- 兆→ななめぼう · 221
- 灯 ………… 178
- 初 ………… 220
- 沖 ………… 161
- 冷 ………… 164
- 泣 ………… 160
- 治 ………… 154
- 法 ………… 155
- 祝 ………… 189
- 浅 ………… 156
- 訓 ………… 59
- 浴 ………… 158
- 料 ………… 190
- 清 ………… 157
- 滋 ………… 163
- 焼 ………… 179
- 満 ………… 159
- 試 ………… 56
- 戦 ………… 205
- 旗 ………… 194
- 漁 ………… 153
- 説 ………… 58
- 課 ………… 55
- 潟 ………… 162
- 類 ………… 44
- 議 ………… 57
- 競 ………… 60

上下型

一（よこぼう）

共	61
老	39
芸	128
努→ななめぼう	92
英	129
芽	126
奈	188
茨	125
勇	90
要	15
帯	215
菜	127
票	187
賀	94
熱	182

｜（たてぼう）

児	33
典	185
軍	206
景	150
最	69
量	192
照	181
置	193

ノ（ななめぼう）

包→その他型	34
令	16
争→その他型	71
希	216
努	92
兵	201
季→その他型	38
参→その他型	217
念	83
香	137
笑	130
倉	138
貨	93
梨	112
然	180
無	183
愛	84
節	131
管	133
熊	106

丶（てん）

衣→その他型	218
完	143
労	91
官	140
卒	219
卑	169
栄	110
単	204
変	213
案	111
害	141
挙	62
巣	102
望	152
覚→その他型	48
富	144
察	142
養	97
競→左右型	60

その他型

一（よこぼう）

井	200
不	103
夫	14
司	51
辺	80
末	108
未	123
民	46
共→上下型	61
成→ななめぼう	202
老→上下型	39
求	105
臣→たてぼう	45
束	109
奈→上下型	188
建	78
飛	104
勇→上下型	90
連	79
達	82
選	81

｜（たてぼう）

以	32
児→上下型	33
臣	45
岡	165
果	124
固	148
典→上下型	185
省	47
景→上下型	150
関	139
器	186

255

ノ（ななめぼう）

- 欠 ・・・・・・・・・・・・ 40
- 氏 ・・・・・・・・・・・・ 199
- 井→よこぼう ・・・ 200
- 失 ・・・・・・・・・・・・ 73
- 包 ・・・・・・・・・・・・ 34
- 令→上下型 ・・・・・ 16
- 各 ・・・・・・・・・・・・ 52
- 成 ・・・・・・・・・・・・ 202
- 争 ・・・・・・・・・・・・ 71
- 兵→上下型 ・・・・・ 201
- 季 ・・・・・・・・・・・・ 38
- 参 ・・・・・・・・・・・・ 217
- 周 ・・・・・・・・・・・・ 53
- 香→上下型 ・・・・・ 137
- 倉→上下型 ・・・・・ 138
- 愛→上下型 ・・・・・ 84

、（てん）

- 必 ・・・・・・・・・・・・ 203
- 辺→よこぼう ・・・・ 80
- 衣 ・・・・・・・・・・・・ 218
- 良 ・・・・・・・・・・・・ 191

（２列目）

- 労→上下型 ・・・・・ 91
- 官→上下型 ・・・・・ 140
- 卒→上下型 ・・・・・ 219
- 底 ・・・・・・・・・・・・ 145
- 府 ・・・・・・・・・・・・ 146
- 阜→上下型 ・・・・・ 169
- 栄→上下型 ・・・・・ 110
- 単→上下型 ・・・・・ 204
- 挙→上下型 ・・・・・ 62
- 差 ・・・・・・・・・・・・ 72
- 席 ・・・・・・・・・・・・ 214
- 連→よこぼう ・・・・ 79
- 康 ・・・・・・・・・・・・ 147
- 産 ・・・・・・・・・・・・ 134
- 鹿 ・・・・・・・・・・・・ 107
- 巣→上下型 ・・・・・ 102
- 覚 ・・・・・・・・・・・・ 48

（３列目）

- 達→よこぼう ・・・・ 82
- 察→上下型 ・・・・・ 142
- 選→よこぼう ・・・・ 81
- 養→上下型 ・・・・・ 97

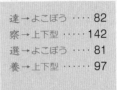

クイズのこたえ

- 18ページ…③
- 22ページ…半（はん）
- 32ページ…心（しん）
- 40ページ…③
- 43ページ…②
- 52ページ…②
- 59ページ…うえ・うわ・かみ・あげる・あがる・のぼる・のぼせる・のぼす
- 76ページ…①
- 81ページ…取（しゅ）
- 83ページ…馬（うま）
- 84ページ…①
- 86ページ…福（ふく）
- 103ページ…医者（いしゃ）
- 104ページ…鳥（とり）
- 111ページ…③
- 117ページ…竹（ちく）
- 120ページ…適（てき）
- 125ページ…②
- 127ページ…③
- 128ページ…②
- 135ページ…②
- 146ページ…大阪府・京都府（おおさかふ・きょうとふ）
- 148ページ…②
- 149ページ…7月17日
- 159ページ…③
- 160ページ…はち
- 179ページ…①
- 186ページ…③
- 194ページ…①
- 200ページ…カエル
- 201ページ…①
- 210ページ…自（じ）
- 213ページ…①
- 216ページ…③
- 221ページ…②

漢字ファミリー分類表

下村式の漢字学習では、漢字を「なりたち」の意味から、人体①～⑤・動物・植物・住居・自然・道具・服飾・その他の計12の「漢字ファミリー」にわけて学びます。

漢字ファミリーのシンボルマーク

人体　動物　植物　住居　自然　道具　服飾　その他

「漢字ファミリー分類表」は、小学校でならう漢字1026字を、漢字ファミリーごとにまとめて、ならべたものです。漢字の下の数字は、ならう学年です。色のついた数字は、この本にでてくる漢字です。
＊学年をこえて、なりたちを優先したので、本文とは順番がかわっています。

こんなふうに　つかってみよう

ほかの学年では、おなじ漢字ファミリーのどんな漢字を学んだか、また、これからどんな漢字を学ぶのか、思いだしたり、たしかめたりすれば、学習が深まるでしょう。

人体①　全身（人の全身の形からできた字）

大	太	天	立	並	夫	失	央	交	文	幸	報	要	人	以
1	2	1	1	6	4	4	3	2	1	3	5	4	1	4
似	休	体	仏	伝	仁	仕	任	何	代	他	付	仲	仮	件
5	1	2	5	4	6	3	5	2	3	3	4	4	5	5
作	位	住	信	倍	低	供	使	便	例	側	価	値	係	保
2	4	3	4	3	4	6	3	4	4	4	5	6	3	5
候	修	借	個	俵	俳	優	健	停	備	働	佐	傷	像	億
4	5	4	5	5	6	6	4	5	5	4	4	6	5	4
聖	化	北	比	后	司	身	女	母	妻	姿	委	姉	妹	婦
6	3	2	5	6	4	3	1	2	5	6	3	2	2	5
好	始	媛	子	育	児	字	学	存	季	孫	乳	長	老	考
4	3	4	1	3	4	1	1	6	4	4	6	2	4	2
孝	欠	歌	次	欲	屋	届	展	病	痛	己	丸	巻	包	色
6	4	2	3	6	3	6	6	3	6	6	2	6	4	2
局	居	危	印	今	令	会	合	食	飲	飯	飼			
3	5	6	4	2	4	2	2	2	3	4	5			

人体② 頭 (人の頭や顔の形からできた字)

首2	真3	面3	頭2	顔2	額5	頂6	順4	預6	領5	題3	類4	願4	目1	見1	看6
省4	直2	眼5	相3	覚4	覧6	規5	視6	親2	観4	臣6	臨6	衆6	夢5	民4	口1
品3	名1	各4	君3	告5	古2	否6	喜5	号3	句5	可5	味3	呼6	吸6	唱4	和3
命3	周4	問3	商3	舌5	辞4	歯3	自2	鼻3	耳1	職5	聞2	言2	音1	話2	語2
読2	説4	評5	討6	論6	認6	識5	講5	議4	記2	訳6	詩3	詞6	誌6	訓4	設5
訪6	証5	談3	試4	誠6	課4	計2	許5	謝5	調3	誤6	諸6	誕6	警6	護5	競4
善6															

人体③ 手 (人の手の形からできた字)

手1	挙4	公2	友2	指3	持3	投3	打3	拾3	捨6	拝6	折4	技5	招5	授5	採5
探6	操6	批6	拡6	担6	接5	推6	提5	揮6	損5	共4	具3	異6	興5	弁5	奏6
承6	尊6	有3	右1	左1	差4	尺6	反3	収6	取3	最4	受3	寸6	寺2	将6	専6
導5	対3	射6	就6	改4	放3	故5	政5	教2	数2	敗4	救5	散4	敬6	敵6	整3
段6	殺5	支5	争4	史5	書2	事3									

人体④ 足 (人の足の形からできた字)

足₁ 路₃ 止₂ 正₁ 出₁ 歩₂ 歴₅ 疑₆ 夏₂ 発₃ 登₃ 先₁ 元₂ 兄₂ 光₂ 党₆
走₂ 起₃ 行₂ 街₅ 術₅ 衛₅ 往₅ 復₅ 径₄ 役₃ 後₂ 待₃ 徒₄ 従₆ 律₆ 得₅
徳₄ 道₂ 通₂ 進₃ 遠₂ 近₂ 週₂ 過₅ 遊₃ 迷₅ 返₃ 逆₅ 達₄ 追₃ 退₆ 連₄
速₃ 運₃ 送₃ 述₅ 辺₄ 選₄ 造₅ 適₅ 遺₆ 帰₂ 建₄ 延₆

人体⑤ その他 (人の体の中やうでの形からできた字)

心₂ 思₂ 意₃ 念₄ 想₃ 感₃ 応₅ 急₃ 息₃ 志₅ 忠₆ 恩₆ 愛₄ 悲₃ 悪₃ 態₅
忘₆ 憲₆ 快₅ 性₅ 情₅ 慣₅ 肉₂ 胃₄ 背₆ 脳₆ 胸₆ 肺₆ 腹₆ 腸₆ 臓₆ 脈₅
肥₅ 骨₆ 死₃ 残₄ 力₁ 協₄ 加₄ 助₃ 動₃ 功₄ 効₅ 勤₆ 勉₃ 労₄ 努₄ 勇₄
勢₅ 務₅ 勝₃

動物 (動物の形からできた字)

犬₁ 状₅ 犯₅ 独₅ 牛₂ 半₂ 物₃ 牧₄ 特₄ 羊₃ 美₃ 着₃ 義₅ 養₄ 群₄ 馬₂
駅₃ 験₄ 象₅ 鳥₂ 鳴₂ 集₃ 難₆ 雑₅ 羽₂ 習₃ 翼₆ 飛₄ 非₅ 毛₂ 巣₄ 弱₂
西₂ 不₄ 至₆ 奮₆ 虫₁ 蚕₆ 魚₂ 貝₁ 員₃ 負₃ 買₂ 売₂ 責₅ 費₅ 貴₆ 賞₅
賛₅ 賀₄ 貿₅ 貨₄ 貸₅ 賃₆ 資₅ 質₅ 貧₅ 貯₅ 財₅ 角₂ 解₅ 皮₃ 求₄ 革₆
卵₆ 易₅ 属₅ 県₃ 能₅ 熊₄ 鹿₄

植物(草や木の形からできた字)

木1	林1	森1	本1	末4	束4	栄4	案4	条5	染6	梨4	査5	乗3	松4	梅4	桜5
村1	校1	株6	根3	枝5	樹6	植3	材4	板3	枚6	柱3	棒6	札4	机6	検5	格5
模6	権6	標4	構5	横3	様3	橋3	機4	械4	極4	栃4	片6	版5	未4	果4	由3
草1	芽4	菜4	花1	英4	落3	葉3	薬3	苦3	若6	芸4	茶2	蒸6	荷3	著6	蔵6
茨4	才2	生1	産4	毎2	毒5	垂6	平3	青1	静4	竹1	笑4	笛3	管4	筆3	箱3
節4	筋6	答2	算2	策6	第3	等3	簡6	築5	米2	粉5	精5	糖6	秋2	秒3	移5
程5	税5	積4	種4	穀6	科2	私6	秘6	香4	麦2	来2	年1	者3

 住居(家の形からできた字)

門2	戸2	間2	開3	閉6	関4	閣6	京2	高2	向3	倉4	舎5	余5	館3	営5	家2
宅6	宮3	官4	宣6	室2	宿3	客3	寄5	定3	実3	宝6	富4	守3	安3	容5	完4
害4	宇6	宙6	宗6	察4	密6	写3	庫3	店2	広2	底4	庭3	度3	府4	庁6	序5
座6	康4	層6	囲5	図2	国2	園2	団5	因5	困6	固4	円1	市2

自然 (山や川などの自然の形からできた字)

日1	白1	旧5	東2	春2	早1	星2	景4	暴5	昔3	昼2	暑3	暮6	幹5	時2	晴2
暗3	昭3	映6	昨6	晩6	暖6	曜2	的4	月1	明2	朝2	期3	朗6	望4	夕1	多2
外2	夜2	雨1	雪2	雲2	申3	電2	気1	風2	川1	州3	水1	永5	池2	湖3	河5
漢3	源6	流3	海2	洋3	波3	激6	潮6	温3	湯3	液5	油3	活2	汽2	注3	消3
派6	泳3	洗6	浴6	沿6	泣4	混5	演5	漁4	港3	深3	浅4	満4	減4	清4	潔5
法4	治4	決3	済6	測5	沖4	潟4	滋4	準5	泉6	原2	谷2	回2	氷3	冷4	冬2
寒3	山1	岩2	岸3	島3	岡4	岐4	崎4	阜4	階3	院3	陽3	限5	陸5	防5	降6
除6	険5	隊4	陛6	障6	際5	阪4	厚5	厳6	都3	郡4	部3	郷6	郵6	石1	砂6
磁6	研3	破5	確5	金1	全3	銀3	銅5	鉄3	鉱5	鋼6	針6	銭6	鏡4	録4	田1
畑3	男1	界3	町1	略5	留5	番2	画2	農3	博4	里2	野2	入1	内2	穴6	空1
究3	窓6	土1	圧5	在5	型5	堂5	基5	墓5	地2	坂3	場2	境5	城4	域6	均5
増5	塩4	埼4	火1	灰6	炭3	災5	赤1	黄2	灯4	焼4	燃5	黒2	照4	然4	熱4
熟6	無4														

道具 (道具や武器の形からできた字)

皿3	血3	益5	盛6	盟6	酒3	配3	酸5	区3	医3	去3	丁3	曲3	器4	豆3	豊5
示5	祭3	禁5	票4	奈4	神3	社2	祖5	礼3	祝4	福3	良4	料4	量4	重3	置4
罪5	署6	刀2	切2	分2	券5	列3	利4	別4	刷4	副4	則5	判5	制5	刻6	創6
割6	劇6	干6	単4	刊5	式3	武5	我6	戦4	王1	皇6	父2	兵4	士5	新2	断5
所3	成4	弓2	引2	強2	張5	矢2	知2	短3	旅3	族3	旗4	師5	声2	南2	楽2
業3	船2	航4	服3	前2	方2	車1	軍4	転3	軽3	輪4	輸5	両3	弟2	必4	久5
用2	同2	再5	冊6	典4	工2	亡6	予3	氏4	井4	午2	台2	処6	主3	耕5	章3
童3

服飾 (糸や布の形からできた字)

糸1	細2	紀5	経5	線2	縦6	続4	組2	結4	練3	約4	純6	給4	納6	統5	総5
縮6	織5	績5	編5	級3	綿5	絹6	紙2	絵2	紅6	緑3	絶5	終3	縄4	系6	素5
幼6	率5	変4	布5	希4	席4	帯4	常5	幕6	帳3	衣4	表3	裏6	初4	複5	補6
製5	装6	裁6	卒4	玉1	球3	理2	現5	班6	形2	参4	乱6

その他 (数や点などをあらわす字)

一1	二1	三1	四1	五1	六1	七1	八1	九1	十1	百1	千1	万2	兆4	世3	小1
少2	当2	点2	上1	中1	下1

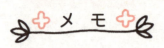

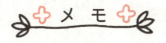

おうちのかたへ

下村　昇

　子どもに漢字を楽しく学ばせるコツは、じつは漢字が本来もっているおもしろさを伝えることです。下村式で覚えた子どもたちは、漢字が好きになります。なぜなら、漢字は小さな部品の組み合わせでできていて、そのことを知ると、学年が進んで難しい漢字が出てきても、書き順も楽に、そして正しく覚えられるようになるからです。この本には、これまでの漢字の学習法にはみられない、いくつかの大きな特色があります。

＊字典ではなく、漢字入門の絵本です

　調べるための字典ではなく、楽しむために全体を絵本的に展開。読んでいくうちに、漢字の基本的意味が理解できます。

＊"識字欲"を刺激する「漢字ファミリー」

　なりたちのパターンを基本に、関連のある漢字をグループにまとめて「漢字ファミリー」に分け、その順に漢字をならべました。漢字学習にもっとも効果的と考えられる配列になっています。

漢字ファミリーのシンボルマーク

人体　　動物　　植物　　住居　　自然　　道具　　服飾　　その他

＊漢字の「なりたち」が基本です

　漢字をもともとの絵にもどして、わかりやすく、さらに興味深く漢字の意味を理解できるようにしました。漢字によっては、新字体となって形が変わっているものや、なりたちにさまざまな説があるものもありますので、子どもに興味や関心をもたせる観点から、理解しやすく、覚えやすい形で表現・創作してあります。

＊リズムにのった「となえかた」で漢字をイメージ化

　独自の下村式の「口唱法®」で、唱えながら筆順が覚えられます。

＊音・訓よみの例文が、理解と応用を助けます
　それぞれのよみの的確な例文を収録。漢字の理解だけでなく、文章力をつける手助けにもなります。

　以上が、この『となえて　おぼえる　漢字の本』（学年別／全6巻）の特色です。本文をちょっと読んでください。まったく新しい発想とアイデアでつくられた、字典ではなく「楽しい読み物としての漢字の本」であることがわかっていただけると思います。「漢字ファミリー」に注目しながら、全学年を通して読むと、いっそう漢字への理解が深まります。
　なお、この『となえて　おぼえる　漢字の本』にもとづき、「口唱法」による漢字の書き方の練習や、ストーリー性のある例文で漢字の生きた使い方の学習ができる『となえて　かく　漢字練習ノート』（学年別／全6巻）と併用すると、さらに学習が深まります。

—— 改訂版によせて ——

　本書は、1965年に出版された『教育漢字学習字典』（下村昇編著・学林書院刊）を底本として、その約10年後の1977年に誕生しました。
　子どもたちが従来の勉強方法から脱却し、なんとか楽しく、能動的・積極的に漢字の学習に身を乗りだしてくれるようにしたいという願いからつくったのですが、「口唱法」という体系的な指導法を創出するのに、最初の『教育漢字学習字典』を上梓してから、実証実験におよそ10年がかかったのです。その間、秋田県・茨城県をはじめ、諸所の国語研究会の先生方に実践検証のために多くのお力をいただきました。
　こうして、授業や家庭でも効果が実証された下村式の漢字学習法・口唱法の内容に、楽しい挿絵を絵本作家のまついのりこさんに描いていただき、できあがったのが本書です。数度の改訂を経て、今回新たな学習指導要領に沿った『漢字の本』ができあがりました。
　こんなにも長く愛される本になるとは、著者である私も驚いています。そして今では、「親子二世代この本で漢字を学びました」という声を聞いたり、小学生のみならず、幼児にも読まれているという話も聞いたりしております。大変うれしいことです。新しくなった『漢字の本』が、これから漢字を覚えるみなさんのお役に立てることを祈っています。

『となえて おぼえる 漢字の本』をつくった人

●**下村 昇**(しもむら・のぼる)
1933年、東京生まれ。東京学芸大学卒業。小学校教諭、東京都教科能力調査委員、全国漢字漢文研究会理事などを経て、「現代子どもと教育研究所」所長。『下村式 となえて かく 漢字練習ノート(学年別/全6巻)』『下村式 ひらがな練習ノート』(偕成社)、『ドラえもんの学習シリーズ(内5巻)』(小学館)など、漢字・国語関連の学習書や児童文学など、著書多数。2021年逝去。

●**まつい のりこ**
1934年、和歌山生まれ。武蔵野美術大学卒業。自分の子どもに作った手づくり絵本をきっかけに、物語性のある知識絵本や、観客参加型の紙芝居を発表。絵本『ころころぽーん』で1976年、ボローニャ国際児童図書展エルバ賞、紙芝居『おおきくおおきくおおきくなあれ』で1983年、五山賞を受賞。『じゃあじゃあびりびり』(偕成社)など、著書多数。2017年逝去。

編集協力=本多慶子・川原みゆき
改訂協力=下村知行・日本レキシコ・ニシ工芸
なりたち図版協力=刑部佐知子
装丁=ニシ工芸(小林友利香)

ご注意●この『となえて おぼえる 漢字の本』の全体および各部分は著者独自の創作です。漢字の〈なりたち〉・〈となえかた〉等を複製することは著作権法により禁止されています。また、「となえて おぼえる」および「口唱法」は登録商標です。

となえて おぼえる 漢字の本 小学4年生 改訂4版

下村 昇=著/まつい のりこ=絵

1977年10月初　　版1刷	1989年7月初　　版69刷
1990年3月改 訂 版1刷	2000年2月改 訂 版41刷
2002年2月改訂2版1刷	2010年6月改訂2版11刷
2012年2月改訂3版1刷	2017年5月改訂3版5刷
2019年2月改訂4版1刷	2024年3月改訂4版3刷

発行者 今村正樹　**印刷** 大昭和紙工産業　**製本** 難波製本
発行所 偕成社　〒162-8450 東京都新宿区市谷砂土原町3-5
©1977 Noboru SHIMOMURA, Noriko MATSUI　　Printed in Japan
ISBN978-4-03-920540-7　　NDC811　268p.　19cm
※落丁・乱丁本は、おとりかえいたします。